TODO DIA A MESMA NOITE

DANIELA ARBEX

Todo dia a mesma noite

Copyright © 2018 by Daniela Arbex

PREPARAÇÃO
Kathia Ferreira
Diogo Henriques

REVISÃO
Laís Curvão
Ana Grillo

DIAGRAMAÇÃO
Ilustrarte Design e Produção Editorial

ARTE DE CAPA
Thiago Lacaz

FOTOS DO ENCARTE
Marizilda Cruppe

CIP-BRASIL. CATALOGAÇÃO NA PUBLICAÇÃO
SINDICATO NACIONAL DOS EDITORES DE LIVROS, RJ

A694t
    Arbex, Daniela
        Todo dia a mesma noite: a história não contada da boate Kiss / Daniela Arbex. - 1. ed. - Rio de Janeiro : Intrínseca, 2018.
        240 p. ; 21 cm.

        Inclui caderno de fotos
        ISBN: 978-85-510-0285-8

        1. Reportagem e repórteres. 2. Entrevistas (Jornalismo). 3. Jornalismo. I. Titulo

17-45726   CDD: 070.43
                                                                                         CDU: 070.4

[2018]
Todos os direitos desta edição reservados à
EDITORA INTRÍNSECA LTDA.
Rua Marquês de São Vicente, 99, 3º andar
22451-041 Gávea
Rio de Janeiro — RJ
Tel./Fax: (21) 3206-7400
www.intrinseca.com.br

Durmo nas imagens e lembranças.
As vozes se misturam na minha mente.
O tempo não passa.
Paulo Tadeu Nunes de Carvalho,
pai de Rafael, 32 anos, morto na boate Kiss

Sumário

Prefácio: Um inventário de afetos, por Marcelo Canellas 9

I. É guerra! 13
II. Sinfonia da tragédia 31
III. Histórias cruzadas 51
IV. Um encontro inesperado 65
V. Desaparecidas 83
VI. Quando a política vem na frente da dor 97
VII. O corpo número vinte 109
VIII. Embarcando o filho 125
IX. Penúltimo ato 137
X. Com choro e sem vela 149
XI. "Holocausto dos tempos modernos" 161
XII. Abrindo os olhos 175
XIII. Todo dia é 27 185

XIV. Fechando os olhos 193
XV. Quarenta segundos 215
XVI. Tenda da resistência 227

Agradecimentos 235

PREFÁCIO:
UM INVENTÁRIO DE AFETOS

Marcelo Canellas

Kiss. O monossílabo em inglês, cujo som pronunciado nos entra pelo ouvido como o estalar de uma bitoca, agora trespassa sua acepção estrita. Seu significado literal se esvaziou de sentido. Tragédias são episódios tão avassaladoramente desconstrutivos da rotina esperada, tão perturbadoramente desarrumadores da ordem natural, tão violentamente instauradores da ruína e do caos, que nem mesmo a semântica se mantém de pé. Desde a madrugada de 27 de janeiro de 2013, a bela palavra *kiss* evoca dor, perplexidade, ganância, omissão, injustiça e tantos outros sentimentos e percepções inflados pela falta e pelo abandono. Estaríamos todos condenados ao pessimismo e ao desespero, se os escritores, com a força das grandes histórias, não nos restaurassem a humanidade solapada pelas catástrofes. É o caso deste livro espantoso. O talento de Daniela Arbex – já comprovado em suas obras anteriores, *Cova 312* e o best-seller *Holocausto brasileiro*, um fenômeno editorial medido em centenas de milhares de exemplares vendidos – recupera a tradição grega de buscar, naquilo que há de belo em uma grande narrativa, o alívio que nos conforta diante do trágico.

Para recontar a história das 242 vítimas da boate Kiss, incendiada naquela madrugada, Daniela Arbex recorre ao ponto de vista dos principais protagonistas do episódio: os sobreviventes, as testemunhas, os parentes das vítimas, os profissionais da saúde que atuaram no resgate e no atendimento em meio ao desastre. Pelos olhos dessas pessoas, a autora nos leva de volta ao 27 de janeiro, a uma Santa Maria atônita e incrédula que, antes de velar seus mortos, teve de juntar santinhos, notas de dinheiro dobradas, identidades, cartões de bancos, batons, chaves e celulares, muitos celulares. Num deles, o visor trazia, ao lado da palavra "mãe", 134 chamadas não atendidas. Cada objeto desses diz muito sobre essas mães, sobre esses pais, seus filhos, e sobre uma cidade jovem, com vocação para acalentar sonhos, uma fábrica de projetos de vida, de aspirações, de futuro.

Ao ler o comovente final deste livro, imediatamente me veio à memória o desfecho de uma das mais impressionantes narrativas trágicas da literatura mundial. Homero encerra sua famosa *Ilíada* com uma cena magistral da guerra de Troia: enfurecido com a morte de seu amigo, o grego Pátroclo, abatido em combate pelo troiano Heitor, Aquiles parte para o campo de batalha. Tomado pela ira e pelo desejo de vingança, investe contra Heitor e o mata. Depois amarra o inimigo a um carro puxado por cavalos, arrasta-o pelo pó da planície até o acampamento grego, e ordena que o corpo permaneça insepulto para que cães famintos o devorem. Do alto das muralhas, os troianos assistem a tudo estarrecidos. Os deuses do Olimpo também desaprovaram Aquiles, pois Heitor era um homem justo e merecia um sepultamento digno. Mas ninguém se desesperou mais do que Príamo, rei de Troia e pai de Heitor.

Eis então que Homero nos oferece a redenção: guiado por Hermes, o deus dos caminhos, Príamo deixa Troia e vai à procura de Aquiles no acampamento grego. Quando encontra o assassino de seu filho, o velho rei se ajoelha diante do inimigo e suplica: "Dá-me Heitor de volta, Aquiles! Pensa no teu pai, que deve te amar como amei meu filho". O pranto de Príamo, de fato, faz Aquiles lembrar-se de seu pai, o velho Peleu, que ficara na Grécia e que jamais tornaria a ver. Comovidos, os dois se abraçam e choram juntos, não mais como inimigos, mas como representantes de todos os pais que não verão mais seus filhos e de todos os filhos que não verão mais seus pais.

É do valor da presença, da convivência, do amor pelos nossos filhos ou por nossos pais que lembramos quando nos vem à cabeça a tragédia da Kiss. O livro de Daniela Arbex trata justamente desse tipo de saudade. É um grande inventário de afetos, em que os vestígios de presença humana ainda estão espalhados por toda parte, em objetos que parecem depositários de vida, como um perfume preferido deixado sobre a pia de um banheiro, ou um sapato de salto alto lustrado para uma festa, ou bilhetinhos com flores e corações pregados na geladeira da cozinha, ou nos quartos mantidos com luzes acesas nas madrugadas de Santa Maria da Boca do Monte. São afetos, sobretudo, perenizados em lembranças doces como a da menina que brincava de beijar peixes para transformá-los em príncipes encantados. O leitor encontrará aqui inacreditáveis exemplos de vilania e de falta de compaixão, mas também surpreendentes gestos de grandeza humana capazes de nos reconfortar. Este livro é uma recusa ao esquecimento. Ao tomá-lo nas mãos, você estará participando do imenso esforço coletivo para fazer da memória um instrumento de conforto e de respeito à dor alheia. Boa leitura.

1. É GUERRA!

O socorrista tirou uma toalha de papel do bolso do macacão azul e passou sobre a testa molhada. Do lado de fora da Unidade de Suporte Avançada (USA 24) do Serviço de Atendimento Móvel de Urgência (Samu), ele procurava uma sombra. No início da manhã de sábado, dia 26, fazia 25 graus na sede da avenida Maurício Sirotsky Sobrinho. Logo, logo os termômetros chegariam a quarenta graus no município de Santa Maria, que experimentava um dos verões mais quentes da última década. Difícil acreditar que em pleno centro-oeste do Rio Grande do Sul pudesse fazer tanto calor quanto o registrado no Norte do Brasil. Mas não era só a temperatura que chamava a atenção naquele janeiro de 2013, e sim a falta de ocorrências.

Cobrindo férias de um colega, Carlos Fernando Drumond Dornelles, 34 anos, médico do Samu, viu a semana de trabalho passar em branco. A USA 24 não fizera sequer um atendimento.

— Bah, doutor, tem algo muito estranho. Nunca vi nada tão parado. Vem alguma coisa por aí — comentou o técnico de enfermagem Felipe Cargnelutti Fontoura, 21 anos.

Formado pela Universidade Luterana do Brasil, Dornelles era avesso a adivinhações. Para quem passara seis meses e 21 dias trabalhando sem folga em missão do Exército entre as vítimas do terremoto no Haiti, que em janeiro de 2010 devastou a capital, Porto Príncipe, ficar parado não era sinônimo de mau presságio. Era apenas uma chance a menos de ajudar alguém. No entanto, ele também sentiu certa desconfiança em relação à ausência de chamadas, pois não estava acostumado a tempos de calmaria, ainda mais por sete dias consecutivos.

Após cumprir seu plantão no Samu de Santa Maria, o médico intervencionista entregou, às sete horas, o comando ao médico Pedro Copetti Dalmaso, 32 anos.

— Olha, Pedro, não está acontecendo nada. Tudo tranquilo nas últimas vinte e quatro horas.

— Sério, cara? Que estranho — respondeu Pedro, como se tivesse ouvido a conversa iniciada minutos antes de sua chegada.

— Bom trabalho aí pra vocês — afirmou Dornelles, despedindo-se com um sorriso. — Deixe-me ir, porque vou aproveitar o sábado com a Patrícia.

Passava das seis da tarde quando Pedro telefonou para Dornelles.

— Bah, depois de uma semana parada, a USA 24 saiu da sede. Acabamos de atender um baleado — comentou, como se Dornelles tivesse sido o "pé-frio" do serviço.

— Então parece que o caos voltou a Santa Maria — brincou Dornelles, afastando de vez a ideia "de que algo estaria prestes a acontecer".

Após desligar o telefone, o médico começou a se arrumar para o encontro que havia marcado com dois casais de amigos, um deles também médico do Samu. Ele e a esposa, Patrícia Pelizzon, 29 anos, sabiam que precisavam chegar cedo para encontrar vaga no restaurante de carnes feitas na *parrilla*. E foi em noite regada a muita conversa e cerveja que o jantar aconteceu.

Antes de seguir de volta para casa, o socorrista e a mulher ainda passearam com seu Ford Eco Sport pelas ruas do Centro. O carro novo era uma baita conquista para alguém como Dornelles, que precisara da ajuda do Fundo de Financiamento Estudantil (Fies) para pagar a Faculdade de Medicina. Em 2008, depois de concluir o curso, ele começou a devolver ao governo federal as parcelas investidas em sua formação.

Eram mais de onze da noite quando eles passaram de carro pela porta da boate Kiss, uma das mais concorridas do município, na rua dos Andradas, nº 1.925, no Centro. Naquele horário, a entrada estava vazia. Havia até vaga disponível no estacionamento do supermercado Carrefour, em frente à casa de shows.

Como todo mundo na região, Dornelles sabia que, em uma cidade como Santa Maria — com sete universidades privadas e uma federal, cujos cursos estão entre os mais disputados do Brasil —, a vida noturna só começaria depois da meia-noite. Tarde demais para um médico que ficava pouco em casa por causa da rotina de plantões.

* * *

No instante em que o celular de Dornelles começou a tocar na madrugada de domingo, o relógio marcava três e meia. Patrícia acordou assustada, sentando na cama:

— O que é isso, Doc? — perguntou, chamando-o pelo apelido. — Quem pode estar ligando a essa hora da madrugada?

O socorrista pegou o aparelho e reconheceu o número gravado em nome de Pedro Copetti.

— O Pedro está me ligando do Samu. Alguma coisa aconteceu.

— Dornelles, pelo amor de Deus, tu estás em São Sepé? — indagou Pedro, aflito.

— Eu não viajei para a casa dos meus pais este fim de semana. Estou em Santa Maria — disse, acendendo a luz do quarto. — O que está acontecendo?

— Fogo, fogo, cara. Está cheio de gente!

— Calma, Pedro. Onde tu estás?

— Cara, é fogo! Vem pra cá pelo amor de Deus. Uma coisa horrível. Uma tragédia.

— Onde? — insistiu Dornelles, ao perceber a agonia do amigo.

— Na Kiss, na Kiss. Vem pra cá agora, vem pra cá agora!

Patrícia olhou preocupada para o marido. Mesmo estando longe do telefone, ela conseguia ouvir os gritos de Pedro.

— O que está havendo, Doc? Meu Deus do céu!

— Não sei, Patrícia. Eu acho que é um incêndio na Kiss. Deve ser uma coisa muito séria, para o Pedro me ligar — respondeu Dornelles, já procurando no quarto ao lado o macacão azul e as botas pretas, além do material de socorro.

— O que tu queres que eu faça? — perguntou Patrícia, sem coragem de ligar o computador em busca de notícias.

— Chama aquele taxista que nos atende de vez em quando — pediu Dornelles enquanto se vestia.

Antes de sair, ele abriu a geladeira e pegou três croquetes que estavam em uma vasilha de vidro, colocando os bolinhos no bolso do uniforme, um hábito de quem trabalha com situações de emergência e não sabe a que horas voltará para casa.

Minutos depois, um táxi estacionou na porta do prédio da rua Serafim Valandro.

— Tu queres ir para onde?

— Toca para a Kiss — disse Dornelles, que estava a cinco quadras da boate. — Sou médico do Samu.

— Ih, doutor, a coisa lá tá feia. Parece que houve um princípio de incêndio. Tá meio tumultuado, porque tem muita gente na frente. Os bombeiros foram para lá, mas eu acho que não é para tanto desespero — opinou o homem.

— Olha, amigo, eu acho que a coisa é séria. Tu podes andar mais rápido, por favor?

Faltavam cinquenta metros para chegarem à esquina da avenida Rio Branco com a rua dos Andradas quando o motorista parou o carro.

— Aqui é o melhor ponto para o senhor descer. Está muito cheio. Não consigo ir até lá.

Dornelles pagou a corrida de R$ 8 e saltou do carro. Desceu a Andradas correndo e, de longe, ficou impressionado com a multidão que cercava a entrada da boate. Havia inúmeras pessoas gritando, transtornadas, e vários jovens caídos no chão recebendo massagem cardíaca de outras vítimas em melhor estado. Muita gente chorava. De longe, ele avistou o caminhão dos bombeiros e a ambulância da USA 24, que dispõe de uma Unidade de Tratamento Intensivo (UTI).

— Por onde começo, por onde começo? — perguntava Dornelles a si mesmo, em busca de equilíbrio.

Abrindo espaço entre as pessoas que bloqueavam a calçada, conseguiu chegar até a viatura do Samu, cujas portas traseiras estavam abertas. Naquele momento, Fabiano Miranda, 35 anos, enfermeiro do serviço, colocava um paciente em uma maca dentro do veículo, onde Pedro o aguardava.

— Pedro, o que tu precisas que eu faça?

— Me ajuda aqui, porque tenho que entubar este garoto.

Dornelles olhou para o rapaz, tão jovem, e percebeu que ele estava gaspeando, com a respiração espumante, na iminência de sofrer uma parada cardíaca.

— Tenho que entubar este garoto — repetiu Pedro para Dornelles.

— Eu preparo o material — disse o médico recém-chegado, pegando um tubo no carro.

Pedro endoscopou o paciente, entubou, Dornelles tirou a guia e colocou o ambu, ventilador artificial acionado manualmente. Enquanto os dois médicos prestavam socorro ao jovem, frequentadores da boate invadiram a ambulância, acomodando lá dentro pessoas em estado grave. Impactado com a cena, Dornelles iniciou o atendimento, identificando dois mortos entre as vítimas. Pediu que os corpos fossem retirados, a fim de dar lugar aos vivos, mas os jovens não aceitaram a constatação médica.

— Infelizmente, eles estão mortos — insistiu. — Não há o que fazer.

— Olha essa menina, doutor. Está rosada e quente. Como você diz que ela morreu? — questionou um adolescente, exaltado.

A coloração rosada da pele é típica dos casos de asfixia por monóxido de carbono, um dos gases mais comuns em incêndios estruturais, ou seja, ocorridos em locais fechados, como na Kiss. Todavia, qualquer explicação dessa natureza não fazia sentido àquela hora. Ao perceber que, naquelas condições, não conseguiriam salvar os pacientes que ainda estavam vivos, Dornelles pediu ao motorista do Samu, Gilnei da Silva, cinquenta anos, e ao enfermeiro Fabiano que levassem todas as vítimas — cinco no total — para a unidade hospitalar mais próxima. Foram para o bairro Nossa Senhora de Fátima, onde fica o Hospital de Caridade Dr. Astrogildo de Azevedo, uma referência na cidade.

Assim que a ambulância saiu, Dornelles se deu conta de que o material de socorro tinha ficado lá dentro. Apenas com o estetoscópio nas mãos, ele foi ajudar colegas de outras três equipes do Samu, que soma um total de 48 profissionais, embora nem todos estivessem de serviço no dia.

O médico começou a atender os sobreviventes na rua; porém, àquela altura, já havia mais de cinco pessoas sem vida no asfalto. Quando examinou a boca de uma das vítimas, uma garota, levou um susto: uma fumaça preta saía de sua garganta. Os olhos estavam completamente brancos, queimados.

Alguns rapazes carregados até a calçada vestiam somente cueca e camisa, indicando o esforço que haviam feito para tentar se desvencilhar da massa humana e chegar até a porta da Kiss. A maioria, no entanto, não esboçava reação e não sabia explicar por que estava sem parte das roupas. Jovens morriam na frente de todos, uma cena insuportável até mesmo para quem fora treinado para enfrentar situações-limite.

Capacitado no atendimento a múltiplas vítimas, Dornelles achava que já tinha visto de tudo nos meses em que socorrera sobreviventes no Haiti. Atendera pessoas mutiladas, combatera doenças infecciosas, como malária e febre amarela, lidara com o estresse pós-traumático dos que chegavam ao Hospital de Campanha da Força Aérea. Vira homens que esperavam quatro horas em pé na fila do atendimento médico não para receber consulta ou medicamento, mas para implorar um prato de comida. Naqueles seis meses, ele mesmo perdera 22 dos 103 quilos que pesava.

O episódio que testemunhava em Santa Maria, contudo, ia muito além de um desastre natural. Era uma tragédia humana, cujos culpados ele ainda desconhecia. Embora não fizesse a menor ideia do que teria acontecido no interior da casa noturna, Dornelles tinha certeza de que aquela madrugada de domingo, marcada pelo barulho ensurdecedor das sirenes, mudaria para sempre a sua vida, a história da cidade e, quem sabe, a do país. Pensaria sobre isso depois. Agora era hora de ajudar a salvar os feridos.

* * *

Quando recebeu a primeira informação sobre um "princípio de incêndio na Kiss", às 3h20 de domingo, o comandante de Socorro do Quartel do Corpo de Bombeiros de Santa Maria, no Centro, sargento Robson Viegas Müller, 44 anos, imaginou tratar-se de um evento de pequeno porte causado por uma pane elétrica ou algum problema com um reator. Afinal, o que poderia queimar em uma boate? Talvez mesas e cadeiras. Mas, como várias ligações foram recebidas nas cinco linhas telefônicas da Sala de Operações do quartel, o alarme tocou quase imediatamente no alojamento.

Naquele momento, havia duas viaturas na guarnição: um caminhão de combate e um carro de resgate. Müller saiu no primeiro carro — o de combate — na companhia do motorista. Outros dois bombeiros seguiram no de resgate. Seis alunos ainda em formação acompanharam a ocorrência, contudo não estavam aptos a atuar em uma situação de risco como aquela. Em três minutos os veículos chegaram ao local do incêndio. Desfalcada, a equipe do quartel do Centro foi surpreendida pelo cenário de guerra na rua dos Andradas.

Na madrugada em que ninguém na região dormiu, centenas de pessoas estavam na rua — muitas delas, em choque, andavam sem rumo. Ao avistar a fumaça preta que saía da boate, Müller, há 26 anos no Corpo de Bombeiros, já sabia, pela sua cor, que havia um alto grau de toxicidade no ambiente. Qualquer minuto a mais significava vidas a menos a salvar. Guardou para si a impressão, mas pressentiu que haveria muitos mortos no interior da casa noturna, talvez uns quinze. Ele imaginava que a maioria dos frequentadores já tivesse saído lá de dentro.

— Bombeiro, tem gente, tem gente — gritou um rapaz para Müller, apontando na direção da boate.

— Quantas pessoas tu achas que ainda tem lá? — perguntou o comandante de Socorro.

— O dobro daqui de fora.

Müller gelou. Olhou a multidão ao redor, cerca de trezentas pessoas, sem acreditar que haveria duas vezes mais lá dentro.

— Como o dobro? Não pode ser! Essa boate é pequena — argumentou, tentando não demonstrar o pavor que sentiu.

E, virando-se para a equipe, composta apenas por mais três profissionais, gritou:

— Vamos lá!

Os alunos do Corpo de Bombeiros pegaram então as mangueiras para proteger o grupo que entraria na boate, caso o fogo chegasse até a porta, ainda que nenhuma chama estivesse sendo vista. Enquanto o pessoal do resgate colocava o equipamento de proteção respiratória, Müller foi para a viatura fazer contato com a Central, via rádio.

— Precisamos de reforço. Manda vir, urgentemente, a viatura do Parque Pinheiro Machado — pediu o sargento, acrescentando que fossem convocadas todas as ambulâncias da cidade.

Além das do Samu, cujo primeiro acionamento ocorrera às 3h28, deveriam ser chamadas até as que prestavam serviços médicos particulares ou conveniados, inclusive as ambulâncias do Hospital de Guarnição do Exército. Ele solicitou também que fosse feito contato com a Base Aérea de Santa Maria (BASM).

Na prática, com o reforço da guarnição do Parque Pinheiro Machado — que estava com um motorista e dois combatentes —, o Corpo de Bombeiros de Santa Maria contaria com sete homens, incluindo os motoristas, para atender ao evento, descontando os seis alunos. Além de um déficit histórico no efetivo, havia uma redução de 30% nos quadros de trabalho, devido ao deslocamento de pessoal para os balneários durante a Operação Golfinho, realizada na temporada de verão.

Para ajudar os colegas, Müller lançou mão de uma das oito ampolas de oxigênio levadas para a Kiss. Sabia que cada uma significava apenas dez minutos para um salvamento, tempo máximo de duração do oxigênio disponível no equipamento em condições como aquela. Outras oito ampolas carregadas ficaram no quartel, mas, naquele momento, ele perderia um homem e vinte minutos, em média, para buscá-las. Quase quinze minutos após o início do incêndio, o resgate foi iniciado "às cegas", devido à densidade da fumaça.

Entrando na boate sem enxergar nada, apesar da lanterna que carregava, o sargento se deparou com uma muralha humana após cruzar a porta que ligava o hall ao salão. As vítimas estavam empilhadas umas sobre as outras, e para chegar até elas ele precisou ir tateando. Sem ter como determinar quem estava vivo ou morto — em função do grande número de pessoas inconscientes —, o bombeiro voltou para a porta de entrada da Kiss e berrou, dirigindo-se aos alunos da guarnição do Centro:

— Precisamos clarear aqui dentro. Providenciem um holofote!

Novamente dentro da boate, o sargento não ouvia gritos de socorro. Descobrira, entretanto, que havia pessoas vivas, porque se agarravam aos pés e às pernas dos bombeiros. Müller tentou puxar o braço de uma menina que esboçava alguma reação, porém outras duas pessoas estavam sobre ela.

— Não consigo puxar — disse ele, buscando outra vítima que pudesse ser salva primeiro.

O nervosismo da equipe reduzida e o peso da ampola do cilindro de oxigênio — cerca de oito quilos — dificultavam o resgate. Para piorar, o calor intenso e a obstrução do hall de entrada da boate pelo empilhamento de gente comprometeram uma incursão de salvamento para além da porta interna de acesso ao salão. Na prática, quem não conseguiu chegar até o funil da única saída, bloqueada por grades de ferro usadas irregularmente na organização das filas de entrada, não tinha a menor chance de ser salvo. A ordem expressa foi então arrastar o maior número de pessoas — vivas ou mortas — para fora.

* * *

O doutorando em Veterinária pela Universidade Federal de Santa Maria (UFSM) Gustavo Cadore, 31 anos, deixou a Kiss em estado de entorpecimento. Em seguida, desmaiou na rua. Ao retomar os sentidos, ele mal conseguia falar. Chorando muito, sentou-se na calçada perto de onde os mortos estavam sendo colocados.

— Gustavo, eu vou buscar água — disse uma amiga.

Quando a jovem retornou, o médico veterinário já não estava lá. Tinha saído andando desnorteado, como outros, depois de sentir um incômodo nos braços.

— Magrão, está saindo fumaça dos seus braços — avisou um desconhecido.

Apavorado, o rapaz jogou a água que bebia no corpo do veterinário, sem se dar conta de que agravaria a situação de Gustavo.

— Cara, a tua pele está caindo — alertou novamente o desconhecido.

Gustavo olhou os próprios braços e tentou acalmar o jovem.

— Não, cara, isto aqui é a minha camisa que deve ter rasgado durante o tumulto.

— Não, cara, tu estás sem camisa!

A angústia na voz daquele rapaz fez Gustavo prestar atenção em si mesmo. Próximo a um poste de luz, conseguiu se enxergar pela primeira vez, percebendo que a pele de seu braço estava presa apenas pelo pulso. Por um instante, pareceu a pequena Kim Puch, vítima da Guerra do Vietnã, cujo povoado fora atingido 41 anos antes por um bombardeio. Só que o corpo de Gustavo estava sendo consumido não por queimaduras provocadas por bombas de napalm, conforme mostra a famosa foto de Kim, mas pela onda de calor a que fora exposto dentro da boate minutos antes.

Como não sentia dor, Gustavo reuniu forças para procurar o amigo que estava com ele dentro da Kiss na hora em que o incêndio começara. Ao se aproximar da porta da casa noturna, foi contido por outro sobrevivente.

— O que tu estás fazendo aí, cara? Estás todo queimado! Corre para o hospital.

— Eu preciso achar um amigo.

— Cara, já faz uns cinco minutos que não está mais saindo ninguém vivo daí. Os que são retirados estão inconscientes ou mortos. Se tu quiseres mesmo ajudar, pegas uma ambulância e vais para o hospital.

Mecanicamente, Gustavo subiu a rua dos Andradas. Foi abordado por um casal que insistiu para que ele procurasse socorro. O veterinário relutava:

— Deixa a ambulância para quem está mal — respondeu, apontando para o grande número de pessoas desmaiadas em via pública.

— Tu estás mal — insistiu o rapaz, acompanhando o veterinário até uma das ambulâncias estacionadas na rua.

Gustavo pediu licença, sentou-se no chão da viatura e esperou para ser retirado da região onde, minutos antes, pensou que morreria.

* * *

Quase meia hora depois do início do incêndio na boate, ainda não havia nenhum isolamento da área em que meninas andavam descalças e sem direção. Na rua, por todo lado, era possível ver sapatos de salto alto esquecidos. O ir e vir continuava desordenado, e, por mais duro que fosse constatar, os bombeiros não contavam com gente suficiente para controlar o fluxo nem conseguiam fazer o resgate sozinhos. Dezenas de civis participavam do salvamento, carregando para fora as vítimas até o hall de entrada.

— Respira, respira — gritava um jovem que realizava manobras de ressuscitação em um amigo que saiu caminhando da Kiss, mas acabou caído no asfalto.

— Cadê o Fernando? Cadê o Fernando? — berrava uma mulher para um sobrevivente que havia acabado de reencontrar.

— Não sei. Todo mundo sumiu — respondeu o jovem, atordoado.

Após dez minutos de salvamento, os cilindros usados pelos bombeiros começaram a apitar, anunciando o fim do oxigênio. Quem aguentou, continuou a tarefa sem o equipamento. Um bombeiro passou mal e precisou ser atendido na calçada. Difícil avaliar a quantidade exata de gente retirada pelos combatentes em meio à barreira de corpos. O comandante de Socorro do Quartel do Corpo de Bombeiros do Centro acreditava ter resgatado entre noventa e cem pessoas.

Quando duas equipes de bombeiros da Base Aérea chegaram à boate, já haviam se passado mais de quinze minutos de salvamento. Acreditando que seu apoio seria mais útil do lado de fora da casa noturna, o grupo permaneceu na calçada, atendendo as vítimas. Aflitos diante da quantidade de gente que ainda estava lá dentro, jovens frequentadores da boate em melhores condições de saúde do que outros decidiram voltar ao seu interior sem que ninguém os impedisse. De calça jeans, com a camisa amarrada no rosto na tentativa de evitar a inalação da fumaça, voluntários que se salvaram receberam jatos d'água vindos da mangueira dos bombeiros para amenizar o calor intenso dentro da Kiss, superior a trezentos graus perto do palco, onde o fogo começara.

Ao perceber que tudo estava fora de controle, o estudante de Educação Física Ezequiel Lovato Corte Real, 23 anos, também quis voltar. Dentro da boate, sem nenhum equipamento de proteção, ele esbarrou em um grupo de meninas que se mexiam. Percebeu que não conseguiria removê-las, por estarem embaixo de uma pilha de gente. Impressionado, ele se lembrou de cenas da Segunda Guerra Mundial. Puxou primeiro uma vítima masculina, um rapaz maior do que ele, levando-o para fora da casa noturna. Não sabia, mas carregava no colo o universitário Bruno Kräulich, de 28 anos. Pós-graduando do curso de Agronomia da UFSM, Bruno já estava em óbito quando foi socorrido por Ezequiel. Ao entrar novamente na Kiss, o voluntário conseguiu resgatar outras pessoas, embora não soubesse quantas estavam vivas. Fez várias incursões na boate incendiada, sendo um dos últimos a deixar o local. Diferentemente de Ezequiel, pelo menos cinco rapazes que retornaram à boate não conseguiram sair.

Meia hora depois de a primeira equipe de bombeiros chegar ao local, ninguém mais foi retirado da Kiss com vida. No momento em que a operação de salvamento foi encerrada, restava muita fumaça no interior da casa noturna. Dezenas de jovens não aceitaram o término dos trabalhos e buscaram no caminhão dos bombeiros ferramentas capazes de quebrar a parede da boate, como picão e pá. Juntos, começaram a destruir a madeira da fachada, que logo veio ao chão. Depois, contando com a ajuda de alunos do Corpo de Bombeiros, usaram as ferramentas para arrebentar a janela, vedada como todas as outras. Estouraram os vidros até conseguirem fazer um buraco na parede. Alguns civis usaram a abertura para tentar — sem êxito — retirar pessoas. Um dos voluntários que participou da demolição da fachada não resistiu à intoxicação, morrendo mais tarde.

Como não havia espaço para a entrada de oxigênio na Kiss, já que todas as suas aberturas haviam sido ilegalmente fechadas para impedir o vazamento de som, as chamas tinham permanecido sob controle. Mas quando o teto foi aberto pelos bombeiros para a saída da fumaça, a entrada de ar alimentou o fogo, que precisou ser novamente combatido. Havia o risco de desabamento e de outras edificações serem atingidas pelas chamas. Por precaução, essas possibilidades precisavam ser afastadas antes de liberarem a entrada na casa noturna.

Passava das quatro e meia da manhã quando o sargento Müller conseguiu, finalmente, acessar todo o interior da boate. No salão principal, ele contou cerca de dez corpos, e oito nos fundos da Kiss. Apesar da gravidade do caso, sentiu alívio ao imaginar que entre os cerca de 1.100 frequentadores naquela noite — a capacidade máxima era de 769 pessoas —, quase todos tinham saído ilesos.

— Sargento, dá uma olhada aqui — chamou um combatente, apontando na direção dos banheiros masculino e feminino, próximos à entrada da boate.

Müller seguiu o colega e foi tomado pelo espanto ao observar a entrada dos toaletes. Para se proteger da fumaça ou achar a saída, que ficara às escuras durante o incêndio, muitos jovens acabaram encurralados nos banheiros, único local onde uma luz de emergência permaneceu acesa. Muitos foram pisoteados. Todos morreram asfixiados.

Diante da pilha de corpos, o sargento sentiu as forças de seus braços esvaírem. Percebeu que homens e mulheres haviam morrido entrelaçados uns aos outros, caídos entre as portas arrancadas dos sanitários individuais na tentativa alucinada de buscar ar na janela do basculante — que também estava lacrada.

Nenhum treinamento o havia preparado para lidar com a dor que sentiu no momento em que se viu tomado pelo mais humano dos sentimentos: a compaixão.

— Nós não salvamos ninguém — repetia, em choque. — Não salvamos ninguém.

II. Sinfonia da tragédia

Liliane Espinosa de Mello Norberto Duarte, 48 anos, passou apressada pelo closet. Sem condições de raciocinar sobre o que vestir, lançou mão das primeiras peças que encontrou sobre a cadeira preta do quarto: uma camisa clara de manga comprida e uma calça de sarja. Observada pelo marido, que havia acordado com a movimentação, ela calçou as botas de cano curto bege sem ao menos se dar conta das altas temperaturas naquela época do ano. Ainda não havia amanhecido quando o elevador foi chamado no sétimo andar do prédio da Travessa Medianeira.

— Vai, vai, vai — dizia a moradora, como se pudesse com a sua aflição acelerar a chegada ao térreo.

Antes de entrar no carro, Liliane acionou o portão eletrônico para não perder tempo. Eram mais de quatro da manhã quando chegou ao edifício público Euclides da Cunha, no bairro Medianeira. Com passos rápidos, venceu a rampa do complexo até cruzar o corredor que dá acesso à Sala de Urgência. Em dezenove anos de trabalho, a enfermeira nunca tinha ouvido um chamado tão desesperado. Capitã de sobreaviso no Hospital da Brigada Militar de Santa Maria naquele 27 de janeiro, Liliane estava aflita:

— O que houve? Recebi um telefonema do José Farias falando sobre uma tragédia.

— Eu não sei o que está acontecendo, Liliane. Esses jovens chegam aqui e morrem — afirmou a capitã Michele Cavalheiro, médica da brigada que atendia uma moça já em estado grave.

— Mas como, Michele? — questionou a enfermeira, surpresa.

— Nós ainda não sabemos. A gente entuba e eles morrem — repetia Michele, angustiada.

Um sargento técnico de enfermagem pediu ajuda a Liliane:

— Capitã, por favor, eu quero que a senhora dê uma olhada nos mortos.

A enfermeira o seguiu, entrando em um quarto reservado. Havia dois cadáveres.

— Mas essas "crianças" não têm nenhuma lesão, nenhum sinal de queimadura — constatou, intrigada. — Tem certeza de que morreram em um incêndio?

— Sim, mas a gente não sabe do que estão morrendo — respondeu o rapaz.

Liliane analisava as vítimas, que pareciam ter entre 18 e 20 anos, quando seu celular tocou novamente. Era o capitão combatente do Hospital da Brigada, José Farias, que havia telefonado para ela meia hora antes.

— Vem para cá — pedia ele.

— Oi, Farias, já cheguei aqui na brigada. Onde tu estás?

— Larga tudo aí no hospital com a Michele e corre para a Kiss. Estou na boate.

Liliane notou mais uma vez na voz do colega um tom de gravidade que ela nunca tinha ouvido. Após desligar o telefone, retornou à Sala da Urgência para falar com Michele.

— O Farias quer que eu vá para a Kiss. Peça reforços aqui — disse a enfermeira, já em direção à saída.

Liliane chegou à boate às 4h45. Os sobreviventes já haviam sido retirados de lá, embora houvesse grande movimentação de policiais militares, conhecidos como brigadianos, e de pais em busca de notícias. Até aquele momento, no entanto, a maioria dos familiares não tinha ideia da dimensão do incêndio. Os que foram até a Kiss, acionados por amigos dos filhos, estavam sendo orientados a procurar por eles em um dos sete hospitais da cidade, além da UPA 24 horas e de dois prontos atendimentos. Naquele horário, já circulavam notícias de que o prefeito de Santa Maria, Cezar Augusto Schirmer, 60 anos, do PMDB, e o deputado estadual Jorge Pozzobom, 42, do PSDB, tinham passado pelo local.

Liliane cumprimentou rapidamente os colegas da Polícia Militar sem se ater ao ambiente externo, embora tivesse percebido, já na rua, um doloroso clima de consternação. Naquele horário ainda havia corpos expostos no estacionamento do Carrefour. Os bombeiros faziam o rescaldo do incêndio quando a enfermeira cruzou a única porta de acesso à casa noturna. A capitã sabia que algo terrível havia ocorrido, mas nem de longe estava preparada para testemunhar uma cena como aquela. Católica, ela apertou com uma das mãos a medalha de ouro e prata que carregava ao pescoço, lembrando-se dos dizeres gravados na peça: "Maria, rogai por nós que recorremos a vós". Diante do que viu, a enfermeira olhou para o alto, na tentativa de enxergar além do teto da boate destruída, pedindo coragem.

— Nossa Senhora, não me abandone — disse, antes de começar o trabalho de contagem das vítimas que estavam empilhadas.

Acompanhada de um policial militar que segurava uma lanterna, Liliane precisou desviar para não pisar em nenhuma das pessoas. Por um segundo, teve a impressão de que muitos dos jovens pelo chão apenas dormiam, embora a morte deles já tivesse sido constatada pelo médico Carlos Dornelles. Quando a enfermeira se ateve ao rosto de cada um, percebeu que a maioria exibia uma fuligem preta na entrada do nariz e uma espécie de espuma branca saindo pela boca, sinais de intoxicação por fumaça.

A capitã da brigada caminhou pela Kiss atordoada não só com o que viu, mas com o barulho dos celulares das vítimas. Os aparelhos tocavam juntos e cada telefone tinha um som diferente. Muitos tocavam conhecidas músicas sertanejas, outros, forró e até o repertório tradicional gaúcho. Na maioria dos casos, porém, o visor indicava a mesma legenda: "mãe", "mamãe", "vó", "casa", "pai", "mana". Aquela sinfonia da tragédia era tão insuportável quanto a cena que Liliane presenciava. Como lidar com um evento dessa proporção?

Mãe de dois filhos — uma menina de 7 anos e um adolescente de 14 que ficaram dormindo em casa sem saber que ela havia saído —, a capitã não tinha como deixar de pensar na dor das mães que não faziam ideia do que havia acontecido na casa noturna. Com o passar das horas, o número de chamados aumentava. Quando finalmente amanheceu em Santa Maria, um dos celulares contabilizava quase 150 ligações não atendidas.

O protocolo de urgências e emergências impede que qualquer pessoa no local de um acidente atenda ao celular dos envolvidos. O motivo é evitar passar informações erradas ou fornecer dados trocados sobre mortos e feridos, por exemplo. Por isso a comunicação oficial de morte só é possível após o reconhecimento do corpo.

— Eu preciso devolvê-los às suas mães — repetia Liliane, baixinho, enquanto sentia os primeiros efeitos da fumaça.

Com falta de ar, sua garganta queimava e os olhos ardiam muito. Era preciso agilidade no processo de retirada dos corpos. Enquanto tentava ignorar o som dos telefones para focar em seu trabalho, outros militares foram chegando ao cenário do incêndio. Alguns policiais que entraram na Kiss tiveram crises de choro. Incomodada, Liliane não conseguiu se conter.

— Por favor, não chorem. Se vocês chorarem, quem vai fazer as coisas por aqui? Nós não temos o direito de fraquejar. O pior já aconteceu. O nosso trabalho esta manhã é entregar esses meninos e meninas para os pais o mais rápido possível. E nós vamos fazer isso, juntos. Todos aqui sabem que qualquer tempo conta para quem espera por um filho. E os pais de Santa Maria precisam fazer o seu luto. Não é hora de chorar.

Em silêncio, o trabalho foi reiniciado no interior da boate. Lá fora, porém, a dor iria acordar o país.

* * *

— Alô!

— Mãe, está acontecendo alguma coisa na Kiss. O Guto me mandou uma mensagem às duas e meia dizendo que assistiria ao show de uma banda e me buscaria em seguida, mas são quase quatro da manhã, e ele não apareceu. Estão dizendo que houve um incêndio na boate onde ele estava — disse Júlio, 16 anos.

Assustada com o inesperado telefonema do filho caçula, que estava na festa de aniversário de um amigo, a funcionária pública Nadir Krauspenhar da Silva, 49 anos, acordou o marido.

— Sérgio, a gente precisa sair. O Júlio ligou e disse que a boate onde o Guto provavelmente está pegou fogo.

O subtenente da reserva do Exército Sérgio da Silva, 50 anos, abriu os olhos, colocou os cotovelos sobre a cama erguendo a cabeça e, apesar de morar há 24 anos em solo gaúcho, argumentou com seu sotaque carioca:

— Não esquenta, Nadir. Deve ter sido um ar-condicionado que pegou fogo e o pessoal saiu correndo.

— Mas o Júlio falou que a coisa parece séria.

Sérgio levantou-se, trocou de roupa e foi buscar a chave do Honda City preto para sair. Só quando entrou na garagem da casa, na rua Alfredo Tonetto, em Camobi, é que se deu conta de que o carro estava com Guto. Sem ter como chegar ao Centro, a quase dez quilômetros de onde morava, o militar decidiu pedir ajuda ao vizinho.

— Délcio, desculpe te perturbar a essa hora, meu camarada, mas o Guto ficou com o carro e parece que a boate para onde ele foi teve algum problema. Tu podes nos levar até lá?

— Claro, espera um minuto que já estou saindo — respondeu o vizinho, que era policial civil.

Délcio dirigiu rápido pelas ruas do bairro onde estão localizadas a Universidade Federal de Santa Maria e a Base Aérea. Quando chegou à região central, no entanto, por volta das quatro e meia, havia um nó no trânsito. Várias ruas estavam bloqueadas e só ambulâncias e carros oficiais tinham passagem liberada. Sérgio e Nadir ficaram apreensivos. Délcio deixou o casal a alguns quarteirões da boate, indo procurar um local para estacionar. Os pais de Augusto e Júlio seguiram a pé até a rua dos Andradas. Ainda estava escuro quando chegarem à porta da Kiss e viram muita fumaça saindo da casa noturna. Em meio ao tumulto, o casal não sabia por onde começar a procurar o filho mais velho.

— O estacionamento do Carrefour — disse Nadir. — Procura o carro lá.

Sérgio atravessou a rua em direção ao supermercado e Nadir foi atrás dele para entregar a chave reserva do veículo.

Como a entrada do primeiro piso estava tomada por gente, o subtenente da reserva do Exército deu a volta a fim de chegar ao segundo andar do estacionamento. Com o alarme do Honda City nas mãos, iniciou a busca.

Caminhou por dezenas de veículos apertando o chaveiro que acionaria o farol do carro e destravaria suas portas. Entretanto, não havia nenhum sinal do automóvel. Sérgio foi até o final do estabelecimento sem conseguir encontrar nada. Pela escada, acessou o primeiro piso, onde retomou a busca. Apertou o alarme do Honda mais uma vez sem resposta. Sentiu alívio:

— Bah, ele deve ter saído — pensou, respirando profundamente.

Toda aquela situação de perigo fez com que se lembrasse da conversa que tivera com o filho na noite de sábado, minutos antes de Guto sair de casa. Com 1,80 metro de irreverência, o militar entregara a chave do carro ao filho de 20 anos, que cursava o terceiro ano da Faculdade de Direito, e aproveitara para dar uma "mijada" no guri – linguagem típica de milico.

— Porra, Guto, se cuida e vê se não faz merda com esse carro. Dirige com cuidado e não mata ninguém ao volante.

— Tá, pai — respondeu Guto, já acostumado com o jeito durão de Sérgio, embora fosse Nadir quem realmente mandasse naquela família.

Quando Nadir cobrava do filho o dinheiro que lhe havia emprestado, por exemplo, Sérgio dava a ele o valor correspondente escondido para que Guto quitasse a "dívida" familiar. Assim, a forma como o militar falava era apenas uma armadura adotada pelo homem que aos 12 anos já trabalhava como adulto para ajudar no orçamento doméstico. Um dos sete filhos da dona de casa Hanivalda da Silva e do paraibano José João da Silva, auxiliar de serviços gerais no Quartel do Campo dos Afonsos, zona oeste do Rio de Janeiro, Sérgio não tivera tempo para a infância e a juventude. Quando se tornou pai, aos 28 anos, decidiu que daria a Guto bem mais do que pudera ter. Queria participar da criação dele e manter a relação próxima que não conseguira construir com o pai, analfabeto e sem folga para afagos.

Foi em Itaituba, no Pará, para onde Sérgio foi transferido na época do nascimento de Guto, que o primogênito aprendeu a falar. A primeira palavra não foi nada que lembrasse os tradicionais "mamã" e "papá". A primeira vez que Augusto verbalizou alguma coisa foi "selva", reproduzindo o som do cumprimento dos militares do Quartel 53º BIS, o Batalhão de Infantaria da região do vale do rio Tapajós.

O meio militar, porém, não seduziu o filho de Sérgio, que, além de Direito no Centro Universitário Franciscano (Unifra), chegara a cursar os primeiros períodos da Faculdade de Filosofia na Universidade Federal de Santa Maria. Muito jovem, ele logo se encheu do "amor à sabedoria" e do estudo de questões fundamentais relacionadas à existência. Tinha planos mais práticos para seu futuro...

— Cobre eles, cobre eles!

Despertado de suas lembranças por uma gritaria, Sérgio percebeu que ainda estava no primeiro piso do estacionamento à procura do carro que o filho dirigia. Lá fora, uma lona preta fora colocada sobre os corpos dispostos na calçada. Sobressaltado, ele continuou a manusear o alarme do carro. Estava bem próximo da saída quando ouviu o som de portas sendo destravadas. Apertou novamente o chaveiro e viu a luz dos faróis piscarem. O Honda estava na sua frente, e sem Guto.

A localização do carro foi a gota d'água para Sérgio. Até aquele instante, ele conseguira não pensar na possibilidade de o filho estar em risco, mas agora já não tinha certeza. Transtornado, precisava falar com Nadir, encontrar forças no bom senso dela. Estava em busca da esposa no momento em que avistou um bombeiro.

— Pô, quebra o galho! — pediu. — Eu preciso ver quem está debaixo dessa lona. Preciso saber se é meu filho.

— O senhor não pode ficar aqui, por favor, vá para os hospitais — disse o militar, tentando conter o subtenente do Exército. — É nos hospitais que seus filhos estão.

Desorientado, Sérgio voltou para o carro, avistando Nadir e seu vizinho, o policial civil.

— Délcio, pelo amor de Deus, vai lá e olha aqueles corpos debaixo daquela lona. Vê se tu encontras o Guto.

Cumprindo a terrível tarefa, o policial civil conseguiu autorização para olhar os cadáveres. Cinco minutos depois voltou, em silêncio, para o ponto de encontro. Os pais de Guto deram-se as mãos.

— E aí? — perguntou Sérgio, aflito. — Você viu ele?

Délcio estava impactado.

— Não, Sérgio.

— Graças a Deus — disse Nadir.

— Vamos nos dividir e procurar nos hospitais — sugeriu Sérgio.

Os três saíram de lá com a missão de achar Guto. O militar voltou para Camobi, onde ficava o Hospital Universitário de Santa Maria (HUSM), mas o nome do filho não estava nas listas de sobreviventes que começaram a circular pelas unidades de atendimento. A poucos metros de casa, ele resolveu seguir para o seu endereço, pois o filho poderia ter voltado. O imóvel, porém, estava vazio. No auge do desespero, Sérgio ligou para a irmã dele, no Rio de Janeiro, com quem Guto e Júlio tinham passado a maior parte das férias de janeiro, retornando para Santa Maria havia apenas três dias.

— Porra, Dayse, que merda, o Guto sumiu. Pelo amor de Deus, eu não encontro o Guto — disse, o militar, por telefone, aos prantos.

— Mas o que aconteceu?

— A boate pegou fogo e o Guto sumiu. Ele sumiu!

Moradora de Bangu, na zona oeste carioca, a tia de Guto estava a 1.700 quilômetros de distância de Santa Maria. Não conseguia entender direito o que estava acontecendo no início daquela manhã de domingo no Rio Grande do Sul, mas sabia que o irmão precisava dela. Embarcou no mesmo dia para a cidade gaúcha.

* * *

O celular tocou insistentemente ao lado da cama. Celita Maria Pazini Bairro, 49 anos, demorou a perceber a chamada.

Cansada, ela tinha enfrentado quatro horas de ônibus pela BR-287 para ir a Manoel Viana, município de 7 mil habitantes no Rio Grande do Sul, onde reencontraria o marido. Homero Pinto Bairro, 49, já esperava por ela na rodoviária. O motorista autônomo ainda olhou o relógio quando o veículo que trazia Ita se aproximou da plataforma número um. Os ponteiros marcavam uma hora da manhã de domingo. Como uma viagem que, de carro, durava pouco mais de duas horas poderia se tornar tão longa? Demoraria menos se o ônibus da Viação Planalto não parasse em São Pedro do Sul, São Vicente do Sul, São Francisco de Assis... Santa paciência!

Na bagagem, a dona de casa levava roupas de Homero e, claro, o indispensável chimarrão. Juntara o suficiente para que o marido — preocupado em reforçar o orçamento doméstico — pudesse passar trinta dias fora em um trabalho temporário. Na segunda-feira, bem cedo, ele seguiria até a fronteira sudoeste do estado em direção a Itaqui (a 670 quilômetros da capital, Porto Alegre), que experimentava o auge da colheita de arroz naquele janeiro de 2013. Homero desembarcaria no maior parque de beneficiamento de grãos da América Latina como mais um dos 250 mil trabalhadores sazonais do Rio Grande do Sul.

Combinara "puxar" arroz na fazenda de um conhecido, ficando responsável pelo transporte da safra irrigada pelas águas do rio Uruguai, na divisa do Brasil e da Argentina. Por isso queria aproveitar o domingo para descansar ao lado de Ita antes de dedicar-se à árdua tarefa. Ele e a esposa ainda dormiam na casa em Manoel Viana quando o celular dela tocou, por volta das sete e meia. Sonolenta, ela atendeu e ouviu uma voz angustiada do outro lado da linha.

— Ita, o que está acontecendo aí em Santa Maria? — perguntou o cunhado.

— Do que tu estás falando? Eu e teu mano não estamos em Santa Maria, estamos aqui em Manoel Viana. Cheguei esta madrugada. O que houve?

— O rádio está dizendo que uma boate de lá pegou fogo e que tem vinte pessoas mortas — afirmou Oclides Bairro, 47 anos.

— Como assim? — indagou Ita, confusa.

— A Greicy está aí com você?

— Não, ela ficou em Santa Maria com a Patrícia. As gurias iam sair. Combinaram de ir a uma festa.

— Pelo amor de Deus, Ita, onde era essa festa? Estão falando na Gaúcha que uma tal de Kiss incendiou. Cadê as gurias? — desesperou-se o padrinho das meninas.

Nesse ponto da conversa Ita já estava completamente desperta. Pensou na última conversa que tivera com a filha de 18 anos, minutos antes de embarcar na rodoviária de Santa Maria, às 21 horas de sábado, dia 26 de janeiro. Greicy comentara com a mãe que ela, o namorado, Hélio Trentin Júnior, 19 anos, a irmã Patrícia, 28, e seu marido, Vandelcork Marques Lara Júnior, 30, iriam a uma festa universitária em uma boate. As duas estavam animadas com o evento marcado para aquela noite.

Na despedida, a mãe beijou a caçula e pediu que ela e a irmã mais velha se cuidassem. As três se reencontrariam na segunda-feira, quando Homero partiria para o campo e Ita voltaria para a cidade onde as filhas estudavam. Em Santa Maria, Greicy tinha iniciado o curso de Engenharia Ambiental e Sanitária no Unifra, e Patrícia, que trabalhava em um consultório dentário, fazia curso técnico de Protética.

A lembrança do último diálogo fez Ita sentir um arrepio na espinha. Será que as filhas tinham ido para a boate sobre a qual Oclides falava? "Não, não podia ser", pensou.

— Homero, acorda, nós precisamos achar as gurias — disse Ita, sacudindo o marido.

— O que houve? — perguntou Homero, meio atônito, sem conseguir entender o motivo da aflição da esposa.

— Seu irmão ligou e disse que ouviu no rádio que uma boate pegou fogo em Santa Maria. Não tenho certeza, mas nossas filhas podem ter ido para lá. Ontem à noite a Greicy me disse que ela e a mana iam a uma festa universitária em uma boate. Não tenho ideia do nome. E se for o lugar de que a Gaúcha está falando?

— O quê? — gritou Homero dando um pulo na cama. — Liga agora para as gurias, Ita!

Com as mãos trêmulas, a mãe digitou os nove números do celular da caçula. Ita apertava os dedos na expectativa de ouvir a qualquer instante a voz da filha. O telefone de Greicy, no entanto, chamou sem resposta.

— Tenta a Patrícia — pediu Homero. — Liga para os dois números dela!

A filha mais velha do casal também não atendeu. Enquanto Ita procurava o número de Vandelcork, vigilante da

Universidade Federal de Santa Maria, o pai das meninas já se trocava. Colocou a primeira peça que encontrou — uma calça jeans —, pegou a chave do carro e saiu. Vestiu a camisa no trajeto até o veículo e em seguida Ita o alcançou.

— Conseguiste falar com os guris? — perguntou o motorista várias vezes já na BR-287, ao lado da esposa. — Um dos quatro deve atender, Ita...

Chorando, a esposa fez que não mais uma vez com a cabeça. Era a décima ligação que fazia para eles, sem retorno. Sintonizados na Gaúcha durante toda a viagem de volta a Santa Maria, os dois ouviram o boletim de notícias com a atualização do número de mortos na Kiss: setenta. Sem pistas sobre o paradeiro das filhas, o casal estava atordoado pelo barulho do silêncio. Na estrada, foram tomados por lembranças do passado e por uma terrível sensação de medo em relação ao futuro.

Nos últimos 28 anos, Homero e Ita haviam vivido para a família. Primeiro viera Patrícia, e o casamento ligeiro por causa da gravidez não planejada em um tempo em que sexo fora do matrimônio ainda terminava com a filha sendo expulsa de casa ou ficando mal falada. Apesar de Patrícia ter nascido poucos meses antes da criação do Conselho Nacional dos Direitos da Mulher (1985), uma conquista do Movimento Feminista, o machismo e o culto às tradições em um Brasil recém-saído da ditadura sustentavam o preconceito, principalmente em território gaúcho. E Manoel Viana, na época com menos de 4 mil habitantes, não fugia à regra. Por isso a notícia sobre a vinda de um bebê foi recebida conforme o esperado: com uma boa dose de escândalo. Mas Homero estava apaixonado por Ita e disposto a enfrentar o conservadorismo da sociedade.

Aos 22 anos e com pouco estudo — tinha cursado até a sétima série do ensino fundamental —, ele se casou com a aluna do terceiro ano do ensino médio como manda o figurino. Os noivos escolheram a tradicional igreja Nossa Senhora dos Navegantes, padroeira do município, e estavam felizes demais para se importar com maledicências. Foi assim, sem dinheiro e às pressas, que os dois começaram a vida a três. Dez anos depois, com uma pequena loja de construção em funcionamento, Homero tornou-se pai de Greicy, a boneca de verdade com que Patrícia tanto sonhava.

Inseparáveis, Ita, Homero e Greicy se mudaram para Santa Maria em 2012. Queriam ficar mais perto de Patrícia, a filha casada havia cerca de uma década que trocara de estado para acompanhar o marido. A experiência em Curitiba, no Paraná, separou a família por mais de um ano, fazendo os pais de Patrícia sofrerem um bocado com a saudade.

Para custear as despesas em Santa Maria, município de médio porte com mais de 270 mil habitantes, Homero intensificou as jornadas em seu velho caminhão Mercedes-Benz, ano 1994. Desde 2009, com o fim de sua loja de material de construção, ele se tornara motorista autônomo e passara a transportar grãos, tijolos e cimento no Rio Grande do Sul e no Paraná. Mesmo vivendo na estrada, ele, a esposa e as filhas se falavam quase todos os dias.

Naquela manhã de 27 de janeiro de 2013, depois que a notícia do incêndio na boate acordou Homero a quase duzentos quilômetros do epicentro dos fatos, o motorista autônomo dirigiu feito louco pela rodovia que liga Manoel Viana a Santa Maria. Sem perceber, ultrapassou a velocidade permitida nos quatro pardais instalados na estrada federal, gastando uma hora a menos do que o habitual para o percurso. Dentro do carro, propôs um pacto à esposa:

— Ita, a minha esperança é que as gurias estejam dormindo em casa com os nossos genros. Mas, se o pior tiver acontecido às nossas filhas, acho que não temos outra saída a não ser nos matar.

A dona de casa não teve forças para responder, embora concordasse com o plano de suicídio. Para ela, a mínima possibilidade de viver sem Greicy e Patrícia já era uma sentença de morte.

* * *

Sérgio da Silva, o militar do Exército que morava havia 24 anos no Rio Grande do Sul, ainda chorava quando se despediu, por telefone, da irmã Dayse, 51 anos, que vivia no Rio de Janeiro, sua cidade natal. Respirou fundo, retomando a procura por Guto, o filho que três horas antes enviara uma mensagem para o telefone do irmão, Júlio, avisando que ainda estava na Kiss e o buscaria após o show de uma banda. Ele, porém, não apareceu nem fez mais nenhum contato com a família.

Muito nervoso com a falta de notícias, Sérgio entrou novamente no seu Honda City, deixando o bairro Camobi em direção ao Centro. Iria ao encontro da esposa, Nadir, que, naquele horário, cerca de seis horas, ainda tentava entrar no Hospital de Caridade para procurar por Guto. A funcionária pública continuava sem informações sobre o paradeiro do filho. Ao reencontrá-la, Sérgio lembrou que o primo de Nadir, o enfermeiro Rogel Quinhones, trabalhava na Polícia Militar. Ela então telefonou para ele, pedindo ajuda.

Tenente da brigada, Rogel atendeu prontamente, indo até o Caridade encontrar a família. Uma vez no hospital, solicitou apoio de outros colegas militares, iniciando uma nova busca pelos locais de atendimento.

— Sérgio, me espere que vou olhar por aí, ver se consigo alguma informação sobre o Guto.

O militar do Exército tinha esperança de que o primo de Nadir, que era da área da saúde, pudesse ter acesso ao interior das unidades. Enquanto Rogel procurava o rapaz, os pais de Guto permaneceram em frente ao Hospital de Caridade. Quando Sérgio olhou novamente o relógio, passava das oito horas da manhã.

— Tu ouviste? Parece que já são mais de cem mortos, e há muitos outros dentro da boate — comentou uma mulher próxima a Sérgio, referindo-se ao balanço divulgado pela rádio local.

O militar não aguentava mais as especulações sobre o número de mortos. Precisava encontrar o filho. Ainda no Caridade, foi informado pela primeira vez de que o Centro Desportivo Municipal (CDM) poderia ser utilizado para o encaminhamento das vítimas. Rogel avisou que ia para lá.

Sérgio não quis acompanhá-lo. Sentiu medo. Estava prestes a enlouquecer...

Nadir descreveu para o primo a roupa que Guto vestia: camisa branca e azul listrada, calça jeans, que a mãe tinha comprado para ele durante as férias em Camboriú, litoral de Santa Catarina, e sapato social preto. A imagem do filho saindo de casa na noite de sábado emergiu em sua memória.

— Filho, você está lindo — comentara ela na despedida. Guto sorrira, olhara fundo nos olhos da mãe e fora embora.

Os minutos seguintes pareceram uma eternidade para Sérgio e Nadir. Rogel tinha prometido voltar com alguma informação. Com temperamento parecido com o de Sérgio, o primo de Nadir era expansivo e sempre fazia piada de tudo. Apesar de aquele não ser o momento, Sérgio tinha certeza de que o tenente da brigada diria algo que aliviaria a sua dor. Porém, ao aparecer de novo no hospital, onde o casal o aguardava havia mais de uma hora, Rogel estava muito sério. Sérgio olhou para ele esperando que dissesse "bah, seu babaca, teu filho não está lá". Rogel, no entanto, continuou sem sorrir.

— Eu preciso entregar uma coisa para vocês — afirmou em tom solene.

O policial militar esticou a mão e entregou a Nadir a carteira de Guto. Os pertences do filho cheiravam a queimado.

Por um segundo, Sérgio ainda pensou que tudo aquilo pudesse ser mentira. Só quando entendeu que aqueles eram os documentos de Guto percebeu que havia perdido seu menino. Naquele momento, ele também se perdeu. Foi engolido pela dor.

III. Histórias cruzadas

O sábado estava arrastado em Itaara. Refúgio de Lívia Oliveira, 47 anos, e Otacílio Silveira Filho, 50, a casa de campo a catorze quilômetros de Santa Maria era sinônimo de paz para o casal, menos naquela noite de lua cheia. Consultora ótica, Lívia não conseguia dormir.

— Estou me sentindo estranha — disse para o marido pouco antes da meia-noite.

Casada há quatro anos com o amor da adolescência que havia reencontrado na maturidade, Lívia e o companheiro tinham grande cumplicidade.

— Querida, tente se acalmar. Você falou com o Heitor há pouco, agora descanse e deixe o guri respirar — afirmou o advogado.

— Você está certo — respondeu ela, embora estivesse tomada pela ansiedade.

Lívia não entendia o motivo daquele sentimento. Estava bem no casamento e na profissão, que havia abraçado 28 anos antes. Seu filho, agora com 24 anos, também vivia uma fase especial. O estudante do penúltimo período da Faculdade de Economia da Universidade Federal de Santa Maria estava apaixonado e tinha engatado um namoro com uma jovem de 19 anos. Além disso, Heitor e um amigo de infância desenvolviam um negócio juntos: a Mint Open Bar, empresa especializada em bares de caipirinhas, drinques e chope artesanal que atendia a eventos. A iniciativa vinha dando tão certo que Heitor estava de mudança para Porto Alegre, onde ficava a sede do empreendimento.

Apesar de conviver com a indiferença do pai, que nunca quis se relacionar com o filho nascido após um namoro de dois anos, o jovem tinha a cabeça feita. Cercado pelo amor da mãe e dos avós, com quem morava desde que viera ao mundo, ele não falava sobre isso. No último encontro que tivera com o pai, no dia 29 de novembro de 2012, os dois ficaram frente a frente, na audiência realizada para o acerto da pensão, sete anos atrasada. Após a sentença, com muita raiva por causa da determinação judicial, o pai de Heitor aproveitou o momento para descontar nele todo o seu ódio:

— Agora toma o seu rumo, guri, e vê se desaparece — gritou o homem de 64 anos cujo nome foi preservado a pedido da família.

— No futuro, o senhor vai sentir o peso de suas palavras — respondeu o estudante, ferido.

Foi nos braços de Jayme Oliveira, o avô que aprendeu com o neto a ser pai, que Heitor encontrou sua melhor referência. O homem excessivamente duro com os filhos descobriu, com a chegada do neto, que afetividade não é fraqueza. Ao ajudar a cuidar do filho de Lívia, ele entendeu que levara tempo demais para conseguir manifestar seu amor pelo outro.

"Por que se lembrar disso tudo agora?", pensou Lívia, inquieta. O passado tinha sido superado e ela estava extremamente feliz com suas escolhas. Tentando afastar maus pensamentos, a consultora ótica lembrou que, apesar de todas as dificuldades que enfrentara na vida, tinha ficado com a melhor parte: Heitor, o menino de riso fácil que era seu grande amigo. E ainda havia Otacílio.

Abraçada ao marido, Lívia acabou adormecendo no quarto localizado no segundo piso do imóvel, construído em meio à vegetação. O advogado, que selecionara um filme de ação para aquela noite, não quis acordá-la, afinal a esposa estava agitada desde a tarde do dia 26, quando o casal chegara a Itaara. Quem sabe agora ela descansaria? Mas o silêncio da madrugada foi quebrado pouco depois das três horas de domingo pelo som do telefone. Ela atendeu.

— Lívia, onde tu estás? — perguntou Eliane Gomes, mãe de Lucas, um dos amigos de seu filho.

— Em Itaara — respondeu, sonolenta. — Amanhã vamos fazer um churrasco aqui para os guris. Mas o que houve?

— Sabe o que é? — disse Eliane, tentando encontrar as palavras. — A Kiss pegou fogo e o Heitor estava lá.

Lívia conhecia bem a Kiss, pois morava na rua da boate. Estranhou a notícia, já que os pais da namorada de Heitor não deixavam a filha frequentar casas noturnas. Será que Eliane não teria se confundido? Ela, porém, confirmou:

— A gurizada estava na frente da Kiss e viu quando o Heitor voltou para a boate após o início do incêndio. Os meninos disseram que ele tinha chegado lá por volta de uma e meia para entregar uns recibos aos *promoters* por causa daquele levantamento financeiro que ele estava fazendo para o bloco de Carnaval. Ele já tinha saído, quando o tumulto começou. Heitor entrou para ajudar os amigos, porém não foi mais visto.

Emudecida, Lívia largou o telefone e foi buscar a bolsa onde havia guardado uma imagem de Nossa Senhora Aparecida, presente do filho. Sentada no sofá, abraçou-se a ela.

— Eu não tenho mais o meu filho comigo, Otacílio.

— Que isso, Lívia!? Do que você está falando? O Heitor sempre foi "safo", conhecia aquela Kiss como ninguém.

— Não, tu não estás entendendo — repetia ela. — O meu coração está rasgando...

— Meu amor, tu tens que te acalmar. O Heitor está bem.

— Ele não está mais aqui, eu sinto — insistia.

Otacílio pegou a esposa pelo braço. Eles precisavam descer a serra e agir. Ao deixarem a casa da rua Alcides Rerter, a consultora ótica telefonou para a sobrinha Bianca Oliveira, 38 anos, pedindo ajuda para achar Heitor. Eram quase quatro da manhã quando o casal chegou ao Pronto Atendimento Municipal de Santa Maria, o PA do Patronato, exatamente no momento em que umas meninas retiradas do incêndio davam entrada na unidade hospitalar. A cena era de horror.

— Otacílio, o telefone dele não atende — disse Lívia, sem saber o que fazer.

— Tenta de novo — insistiu o marido, enquanto buscava notícias sobre Heitor na recepção, onde Bianca já os aguardava.

Foi quando o celular de Lívia chamou. Era a namorada de Heitor:

— Dona Lívia, tem uma mulher atendendo o telefone do Heitor. Liga pra ela.

Lívia digitou o número e dessa vez alguém respondeu.

— Alô, quem fala? — perguntou, aflita.

A mulher do outro lado da linha não quis se identificar. Disse apenas que era enfermeira do Hospital de Caridade, quebrando o protocolo estabelecido para casos de emergência.

— Moça, eu sou mãe do Heitor. Eu me chamo Lívia. Como está o meu filho? Ele está queimado? Pisoteado? Como está o meu filho?

— Heitor Santos Oliveira Teixeira está muito mal.

— Como assim, moça? Como mal?

— Ele está muito mal. Acho que a senhora deveria vir para cá.

Diante da inesperada notícia, Lívia passou o telefone para o marido.

— Amor, nós precisamos ir para lá — explicou Otacílio.

Ela, o marido e a sobrinha entraram rápido no carro e partiram em direção ao Caridade. Lívia não conseguia raciocinar direito. Sentira-se mal durante todo o dia anterior e agora achava que tinha pressentido o episódio. Nunca imaginara, porém, que seus temores se concretizariam.

Otacílio não conseguiu se aproximar do hospital, que já estava muito movimentado, apesar de o dia não ter sequer amanhecido. Lívia saltou do carro com Bianca, enquanto Otacílio buscava uma vaga pela região central. No trajeto até a entrada do hospital, tia e sobrinha acabaram se perdendo uma da outra. Como havia muitos familiares, Lívia precisou pedir passagem para se aproximar da entrada. A consultora ótica foi vista de longe por Lucas, o filho de Eliane, a mulher que telefonara para Lívia. Correndo ao encontro dela, o jovem a acompanhou até os três brigadianos que controlavam o fluxo na entrada da unidade.

— Moço, eu sou mãe do Heitor, um jovem que estava na Kiss. Ele tem uma estrela tatuada no lado esquerdo. Me deixa entrar, por favor, ele está aqui.

— Mãe, como é o nome todo do teu filho? — perguntou um dos policiais.

— Heitor Santos Oliveira Teixeira. Ele tem 24 anos.

— Eu vou ver como ele está e volto aqui para dar uma notícia à senhora.

Lucas deu a mão a Lívia, tentando confortá-la. Quando o brigadiano retornou, Lívia percebeu que a expressão dele estava transformada:

— Mãe, Heitor Santos Oliveira Teixeira acabou de entrar em óbito.

Lívia ficou surda.

— Meu Deus do céu, o que eu vou fazer da minha vida? Eu estou sozinha. O que eu vou fazer da minha vida? — desesperou-se.

Olhando ao redor, ela não enxergava mais aquela multidão. Sentiu uma dor tão profunda que teve dificuldades para respirar.

— O que meu filho diria para mim neste momento? Reage, reage — falava a mãe de Heitor para si mesma, tentando manter a sanidade.

Ao enxergar a tia em meio ao tumulto, Bianca se aproximou. Lívia tentava se recompor. Tirou forças não sabe de onde para comunicar à sobrinha que entraria para fazer o reconhecimento do corpo do único filho.

— Não, tia. Não faça isso agora. Você não está em condições. Eu vou entrar no seu lugar.

— Então eu vou para casa avisar a tua vó — afirmou, sem conseguir visualizar o caminho de volta.

Aos 83 anos, dona Neusa Santos Oliveira não tinha ideia do que estava acontecendo fora do apartamento de fundos, na rua dos Andradas. Quando Heitor saiu de casa na madrugada de domingo, a idosa ainda estava acordada.

— Meu filho, você vai deixar o computador ligado?

— Vou, sim, vó. Só vou à Kiss entregar um trabalho.

Heitor se aproximou da avó e a beijou, despedindo-se.

— Eu volto logo.

Quando a chave girou novamente no trinco da porta, o dia já havia clareado. Dona Neusa estava sentada em sua cama.

— Heitor? Heitor?

— Não, mãe, sou eu — disse Lívia, na sala, sem saber como contar a ela que o neto não voltaria mais.

* * *

Eram quase oito horas da manhã de domingo quando a notícia da morte do filho de Lívia chegou a São Pedro do Sul, município encravado entre sítios paleontológicos. Os donos da loja onde a consultora ótica trabalhava havia quatro anos tinham ido passar o fim de semana no sítio Santa Terezinha, propriedade de oitenta hectares em Carpintaria. Marta Beuren, 61 anos, ainda dormia no quarto rústico quando o marido a chamou.

— Marta, nós vamos ter que voltar para Santa Maria porque parece que pegou fogo em uma boate e a cidade está um caos. Disseram que há umas vinte pessoas mortas e o filho da Lívia é uma delas — comunicou Sílvio Beuren, 62 anos.

— Meu Deus! O Heitor estava com quantos anos?
— Parece que tinha 24.
— Que tristeza! Coitada da Lívia. Como ela está?
— Não sei ainda, mas imagino o sofrimento dela. Os dois sempre foram muito ligados — respondeu o comerciante, arrumando-se.

Chocada com a notícia, Marta fez uma prece em favor de Lívia. Logo que terminou, perguntou por Silvinho.

— Sílvio, você ligou para o Silvinho?
— Eu tentei ligar, mas ele não atende.

Marta lembrou que havia falado com o caçula por telefone no final da noite de sábado. Havia muito barulho ao redor do rapaz de 31 anos, cabelos castanhos e olhos azuis, que fazia um baita sucesso com as gurias.

— Filho, tu és um safado — dissera Marta, rindo, ao telefone. — Tu mentiste pra mãe!

Ele deu uma gargalhada do outro lado da linha.

Marta referia-se à conversa que haviam tido no início da tarde daquele sábado, quando Silvinho contara a ela sobre a morte de Linus, o cachorro de 18 anos de idade criado no sítio da família, onde o jovem trabalhava no cultivo da terra.

— Tu enterraste ele? Arrumaste tudo direitinho? — perguntara Marta.

— Não, mãe, eu joguei ele no mato.

— O quê? Jogou no mato?

— Ah, mãe. Eu não ia quebrar a cadeia alimentar, né? Tinha que largar ele no mato para os outros bichos.

— Nossa, que horror!

Quando Marta chegou ao sítio, percebeu que fora vítima de mais uma pegadinha do filho. Perto do galpão em que ele mantinha aceso havia quase quatro anos um fogo de chão, Silvinho construíra um túmulo pomposo para Linus. Eram onze e meia da noite de sábado quando ela lhe contou, por celular, sobre a descoberta do local de sepultamento do cachorro.

— Filho, tu és danado! Um bagaceiro. Tu disseste pra mãe que jogou o Linus no mato e veio com aquela conversa de não quebrar a cadeia alimentar. Eu acreditei. Mas achei o túmulo dele hoje à tarde...

— Claro, né, mãe! Era o mínimo que eu podia fazer por ele, pois o Linus é da família — respondeu Silvinho, divertindo-se com a ingenuidade da mãe.

— Ah, mãe, aproveitando... A senhora não deu falta do seu Jesus?

— Claro que eu dei falta. Procurei ele por toda casa e não achei.

Silvinho riu de novo.

— Ele está lá no meu galpão. Vou aprontar com os guris!

Marta divertiu-se e pensou no quanto Silvinho era especial. Último filho entre quatro irmãos — todos os três estavam casados —, o rapaz agitava a rotina da família com os encontros que organizava no galpão do sítio durante os "festerês" movidos a cerveja e gaita, e a inseparável sanfona de Silvinho. Apaixonado pelo campo, ele trocara o status de uma carreira de optometrista pelo cultivo de grãos na estância, como o arroz japonês.

— Filho, sinto muito orgulho de ti. Te cuida aí em Santa Maria. Amo você.

— Tá, mãe, não te preocupes. Te amo também. Vou desligar.

Marta ainda conseguiu ouvir durante o telefonema a voz dos amigos do filho em meio à bagunça de um churrasco.

A lembrança desse último diálogo com ele tranquilizou o coração de Marta no início da manhã de domingo. O pai de Silvinho, no entanto, teve uma reação inesperada:

— Marta, eu estou com uma sensação tão ruim. É aqui dentro do meu coração. Estou com um aperto. Eu sinto que nós perdemos o Silvinho também — afirmou, abrindo a porta do quarto.

— Sílvio, que isso! O Silvinho não foi nesse lugar. Eu falei com ele ontem à noite por telefone, lembra? Nosso filho estava em um churrasco.

— Marta, é aqui, ó. O coração está me dizendo — retrucou o comerciante, tendo uma crise de choro.

— Sílvio, pelo amor de Deus. O Silvinho não estava nessa boate. Eu falei com ele ontem.

A tentativa de acalmar Sílvio não funcionou. Ainda chorando muito, ele pegou a BR-287.

— Meu bem, vamos fazer o seguinte. Vamos parar em São Pedro e pegar um táxi para Santa Maria. Deixa o carro aqui, pois tu não estás em condição de dirigir por esses quarenta quilômetros. Tu estás muito nervoso e impactado com a notícia da morte do filho da Lívia — reforçou Marta, preocupada com o estado do marido.

— Não, Marta, vamos embora — insistiu ele.

Na estrada, Sílvio voltou seu pensamento para a tarde de sábado, em Santa Maria, quando ele e a esposa colocaram no porta-malas do carro a bagagem para a viagem a São Pedro do Sul. Silvinho seguira os pais até a garagem de casa. No momento em que Sílvio deu a partida no veículo, o caçula enfiou as mãos pela janela do automóvel, segurando os braços dele. O comerciante pisara no acelerador, fingindo que arrancaria, uma brincadeira dos dois. Ao subir a rampa da garagem, Sílvio o procurara pelo espelho retrovisor. Ele ainda estava lá, sorrindo. A cumplicidade entre os dois era forte. Entre os quatro filhos, Silvinho era o único capaz de dobrar o pai, descendente de alemães de quatro costados.

Desde a infância, ele acompanhava o pai nas temporadas de pescaria nos rios da Argentina, entre eles o famoso Paranazão, onde os dois fisgaram juntos um dourado de 29 quilos com direito a foto para comprovar a façanha. O menino tinha apenas 5 anos quando atravessou a fronteira com Sílvio pela primeira vez. Em sua bagagem, havia uma lista de recomendações preparada pela mãe e uma lata de Nescau. Sílvio não seguiu nenhuma delas. Alimentou Silvinho com peixe. Achocolatados não faziam parte do cardápio da viagem...

Havia um profundo silêncio no carro quando os pais de Silvinho se aproximaram de Santa Maria naquela manhã de domingo, 27 de janeiro. Marta percebeu um clima pesado no ar. A cidade estava diferente, sombria, mergulhada em tristeza.

— Sílvio, tu vais ver que vamos chegar em casa e a caminhoneta do Silvinho vai estar na porta. Podes ter certeza.

Quando o comerciante e a esposa entraram na rua José Mariano da Rocha, no bairro Nossa Senhora de Lourdes, Sílvio percebeu, de longe, que o carro do filho não estava estacionado.

— A caminhoneta está na garagem, meu bem. Com certeza.

Com grande expectativa, Sílvio acionou o controle do pesado portão de ferro marrom. Lá dentro, estava vazio.

Marta ainda tentava demonstrar calma. Acreditava que Silvinho tinha ido passar a noite no motel na companhia de alguma garota. Desde que terminara seu último namoro, o filho ainda não tinha conseguido se acertar com ninguém. Ele procurava uma companheira, pois sonhava em formar família, como os outros irmãos, mas, enquanto a metade da laranja não aparecia, curtia por inteiro sua solteirice. Pensando bem, para que ter pressa?

Quando os amigos de Silvinho foram até a casa do bairro Nossa Senhora de Lourdes à procura dele, naquela manhã, o sumiço do rapaz ganhou outra conotação. Os pais descobriram que o filho deixara a festa onde estava por volta das duas da madrugada, a convite de uma menina em quem estava interessado, seguindo com ela e outro amigo na direção da Kiss. Ao saber sobre a saída de Silvinho do encontro organizado pelos amigos, Marta ainda imaginou que ele pudesse não ter entrado na boate — afinal, ele sempre era convidado para vários eventos em um mesmo dia. Quem sabe ele e a nova paquera não tinham ido para outro local? O celular do filho, no entanto, continuava em silêncio, apesar da insistência das chamadas. Por que será que ele não dava notícias?

IV. Um encontro inesperado

— Avisa a Emergência que houve um incêndio em uma boate lá no Centro e que tem vítimas sendo trazidas para cá — anunciou a atendente do Hospital Universitário de Santa Maria que recebera o aviso do pessoal do Samu.

A ligação para o hospital deixou toda a equipe da unidade em alerta. Acostumado a lidar com situações graves, o cirurgião geral e de trauma Ewerton Nunes Morais, 60 anos, estava de plantão naquele 27 de janeiro. Coordenador da Liga do Trauma no HUSM, o médico havia saído na tarde de sábado do Parque Residencial Santa Lúcia, onde morava com a família, para cobrir o furo deixado na escala de trabalho por um colega adoentado.

O filho de Ewerton, Luís Arthur Resener de Morais, 24 anos, deixara o pai na porta da unidade, que fica dentro do campus da Universidade Federal de Santa Maria, por volta das quatro horas da tarde. Ewerton queria chegar mais cedo para se informar sobre os casos cirúrgicos do Pronto-Socorro. Como Luís Arthur cursava o último ano de Medicina na Unisul, em Tubarão, Santa Catarina, o cirurgião o convidou para acompanhar o plantão durante a noite.

Professor adjunto da universidade, Ewerton estava acordado quando a notícia do incêndio na Kiss chegou ao hospital, durante a madrugada. Minutos antes, o cirurgião havia olhado o relógio e notado a ausência do filho. De férias em Santa Maria, ele não havia aparecido no Hospital Universitário.

— Nós precisamos preparar as salas — afirmou Ewerton após ouvir o anúncio da atendente, sem saber o que estava de fato por vir.

Quando as primeiras vítimas da boate deram entrada na unidade, o médico percebeu que o evento era muito mais grave do que supunha. Com quadro de insuficiência respiratória, jovens colocados em macas expeliam secreções pretas pela boca. Alguns tinham borracha derretida fundida à pele, outros estavam com braços, costas e face queimados. Muitos chegavam caminhando e, em seguida, caíam desacordados. Nas horas seguintes, mais de cem pessoas dariam entrada no HUSM necessitando de atendimento urgente.

As vítimas em estado crítico apresentavam quadro de broncoespasmo, contração da musculatura dos brônquios provocada pela inalação de gases asfixiantes. Experiente, Ewerton notou que a intoxicação exibida pelos pacientes era um pouco diferente da habitual, exigindo que fossem entubados de imediato para não entrarem em falência respiratória por obstrução da via aérea. A maioria precisou ficar em ventilação mecânica, mas não havia espaço para acomodar todos os que precisavam de assistência. Boa parte dos 291 leitos ativos do Hospital Universitário, ou seja, preparados para serem usados, já estava ocupada.

Diante da situação, os corredores do subsolo foram transformados em unidades de atendimento que ficariam sob a supervisão dos professores da universidade e dos profissionais do hospital. Inserido no Programa Nacional de Reestruturação dos Hospitais Universitários Federais (Rehuf), o HUSM tinha acabado de receber cerca de vinte respiradores. Na sexta-feira anterior, eles tinham sido montados para que sua condição de uso fosse testada.

— Mobiliza todo o hospital e chama quem estiver em casa, porque estamos em estado de guerra. Tem mais gente aqui do que temos condições de atender — gritou o cirurgião para um funcionário enquanto entubava um rapaz.

Cumprindo o sistema estabelecido para o socorro em casos de emergência, profissionais de todos os andares foram acionados. Além da ventilação mecânica, procedimentos como a videobroncoscopia foram iniciados mais tarde para examinar as condições das vias aéreas e eliminar a fuligem que havia aderido aos brônquios dos pacientes. A aspiração das secreções das vítimas, através da introdução de uma sonda de sucção por nariz, laringe e traqueia, ajudaria a evitar o agravamento do quadro.

— Tu vais ficar bem, guri — dizia o médico para um garoto que, apesar de consciente, estava em estado de choque.

Ewerton precisava correr contra o tempo, pois alguns sobreviventes pioravam com muita rapidez. Muitos apresentavam um quadro de grave insuficiência respiratória, e isso intrigava o cirurgião e os outros profissionais que se apresentavam voluntariamente. Era como se alguma substância tóxica ao extremo continuasse a agir nas células das vítimas, comprometendo a energia vital do corpo, que ficava propenso a entrar em colapso por falta de armazenamento de oxigênio nos tecidos. Se a situação não fosse revertida, a vítima poderia sofrer um edema pulmonar e disfunção cardíaca, entrando em óbito.

Concentrado na tarefa de estabilização dos pacientes, Ewerton não ouviu as chamadas em seu celular, que, naquela madrugada, tocou insistentemente. Foi um funcionário do hospital que as escutou e levou o aparelho até o cirurgião.

— Alô? — disse Ewerton, já com pressa de desligar.

— Pai?

— Diga, filha, estou muito ocupado.

— Pai, espera, pelo amor de Deus — pediu Marina, também médica. — O Arthur estava na Kiss.

Ewerton sofreu um baque profundo. Agora entendia por que o filho não havia aparecido para acompanhar o plantão. Tinha mudado de planos. Mas o garoto não gostava de boate, como fora parar lá? Sem demonstrar o tamanho da dor que sentiu ao ouvir a notícia, orientou a filha:

— Olha, se ele estiver vivo, tu trazes ele para cá.

— A mamãe está tentando localizá-lo. Um amigo dele disse que foi levado para o Hospital de Caridade. A gente ainda não o encontrou.

— Estou aguardando...

Ao desligar o telefone, o cirurgião geral olhou o estado das vítimas ao seu redor e imaginou como poderia estar seu filho. Lembrou-se, então, de Ribeiro Netto, um dos maiores cirurgiões torácicos do país: "Na Emergência, se você pensar, o doente morre". Era preciso continuar atendendo, mesmo após saber que o filho estava entre as vítimas. Naquele momento, os feridos precisavam dele por inteiro. Mais do que nunca, o médico teria que desempenhar o seu papel.

Uma hora se passou desde que Ewerton soube que Luís Arthur também estava na Kiss. Ele atendia uma menina quando o viu dar entrada no hospital acompanhado da mãe. Superintendente do HUSM, a ginecologista Elaine Verena Resener, 57 anos, resgatara o filho, sozinha, do Hospital de Caridade. Percorreu centenas de leitos até encontrar o estudante de Medicina, em estado grave, na unidade. Com os pulmões queimados, Luís Arthur foi colocado pela mãe dentro de um carro de passeio e eles seguiram para o Hospital Universitário.

Quando Ewerton viu a esposa e Luís Arthur chegarem, não pôde ser pai. Precisava agir como médico para salvar a vida do filho semimorto. O estudante ainda tentou resistir à entubação.

— Entuba ou tu morres — disse Ewerton, firme, pedindo ao anestesiologista Jonas Barato para iniciar o processo de socorro.

*　*　*

Depois de passar parte da madrugada na Kiss, o médico Carlos Dornelles percebeu que já não seria útil no ambiente onde os mortos começavam a ser contabilizados. Como não havia nenhum sinal de vida no interior da casa noturna, dirigiu-se, como outros colegas, aos hospitais da cidade. Ele se apresentaria como voluntário onde o seu trabalho pudesse ser aproveitado. Apesar de não ter nenhuma noção sobre o número de feridos, tinha certeza de que qualquer ajuda seria bem-vinda. Estava certo, embora não fizesse ideia de que aquele seria o dia mais longo da sua vida.

Já havia amanhecido quando o socorrista se aproximou do Hospital de Caridade, cuja entrada fora isolada por policiais militares. A barreira humana era uma forma de impedir que os pais invadissem o local em busca dos filhos. Cerca de 5 mil pessoas se aglomeravam na avenida Presidente Vargas nas primeiras horas de domingo. Sem ter como acessar a unidade pela porta principal, Dornelles lembrou-se da entrada de emergência. Com passos largos, alcançou o corredor do hospital, onde viu dezenas de pessoas precisando de atendimento. Também havia sobreviventes na Emergência e na Sala de Nebulização. Todo o hospital estava mobilizado, inclusive com equipes que não integravam a área médica. Auxiliares de limpeza disponibilizaram-se para carregar cilindros de oxigênio.

— O que eu posso fazer? — perguntou Dornelles ao plantonista do Caridade.

— Bah, cara, caminha por aí e vê o que tu podes fazer — respondeu o coloproctologista Luciano Copetti Trevisan, 32 anos, que entubava um paciente com a ajuda de Cláudio

Guimarães Azevedo, 44 anos, major médico anestesiologista do Exército.

Dornelles continuou andando pelo extenso corredor de paredes cinza, por onde se espalhavam dezenas de vítimas.

— O que eu posso fazer, meu Deus? — perguntava a si mesmo, observando a gravidade dos casos.

Em meio aos feridos, avistou o cirurgião geral Pedro Copetti Dalmaso junto a uma maca.

— Pedro, cara, que horror tudo isso, não estou acreditando.

Ao ver Dornelles, o amigo começou a chorar.

— Cara, que desespero! Que coisa horrível! Eu também não estou acreditando que estou vivenciando isso — desabafou Pedro.

Pedro e Dornelles se consolaram, mas sabiam que não era hora para lamentações.

— Respira fundo e vamos trabalhar — disse Dornelles, sem encontrar palavras.

Dornelles continuou andando pelo corredor, até que sua atenção foi desviada para a Sala de Sutura. Quando entrou, viu alguns corpos no local, provisoriamente transformado em necrotério. Estavam cobertos por lençóis. Pela primeira vez, deu-se conta de que alguém conhecido poderia estar embaixo daqueles panos. Chegou a levantar o tecido, mas tornou a cobrir as vítimas, pois precisava concentrar sua atenção nos vivos. Fora do Exército havia onze meses, ele não esquecera o que havia aprendido durante os anos em que atuara como médico na corporação. Embora ninguém estivesse preparado para lidar com um acontecimento daquela grandeza, seriam necessários disciplina e autocontrole para conseguir dar respostas rápidas em meio a uma situação tão crítica. Isso ele aprendera no meio militar.

Como se tratava de uma tragédia humana sem precedentes na história recente do país, o emergencista intuía que as consequências seriam sentidas em ondas. As próximas chegariam tão fortes que provocariam devastação semelhante a um tsunami. Ninguém em Santa Maria sairia ileso.

Além dos médicos do Samu, estavam no hospital todos os seus plantonistas, a direção da clínica, uma equipe da Unimed e dois membros da Secretaria de Saúde estadual. Profissionais da saúde voluntários se apresentavam a cada minuto na unidade. Diante da oferta de mão de obra, da imensa demanda por atendimento e da escassez de material, o anestesiologista Cláudio Azevedo convocou os médicos para uma rápida reunião nos fundos do setor de Emergência.

— Nós precisamos definir algumas diretrizes para dar conta de toda essa situação. Eu farei a coordenação do atendimento dentro do hospital. Quanto a ti — disse, apontando para Dornelles —, tu és médico do Samu, tens muitos contatos. Nós precisamos fazer o encaminhamento das pessoas que estão em estado mais grave para outros centros. Tu vais ser o responsável por toda a coordenação externa dessa operação de transporte. O José Carlos Pereira, que é o enfermeiro da equipe, vai te dar suporte. Aqui dentro, nós vamos transformar salas adicionais em blocos de UTI.

Dos 391 leitos do Hospital de Caridade, mais de quarenta eram dedicados ao Centro de Terapia Intensiva (CTI) e à UTI de adultos; no entanto, a maioria já estava ocupada. Da noite para o dia, o incêndio da Kiss gerara uma sobrecarga completamente inesperada para a rede hospitalar de Santa Maria, que em pouquíssimo tempo teve superada sua capacidade instalada de atendimento para urgência e emergência. Para dar conta disso era necessário não só criar novos leitos, mas conseguir equipamentos fundamentais para a manutenção da vida, como respiradores.

Terminada a reunião de quinze minutos, todos se dispersaram para colocar em prática as orientações dadas pelo anestesiologista. Cláudio Azevedo permaneceu na Emergência, chamando Dornelles a um canto da Sala de Pronto-Socorro do hospital onde havia uma mesa, um computador e um telefone fixo.

— Senta aí e faz a tua missão. Tu só vais sair daí quando tiveres terminado — declarou, instaurando uma espécie de Gabinete Provisório de Operações dentro da Emergência.

Dornelles ficou parado por alguns segundos, olhando o caos ao redor. A partir de agora, ele seria o responsável pelo transporte de pacientes, mas não tinha a menor ideia de como iniciar a retirada deles de Santa Maria. Passou as mãos pela cabeça, aflito, como se buscasse inspiração. Pedro Copetti bateu em seus ombros:

— Tá aqui a sua água — disse, entregando um copo ao emergencista. — Toma isso, toca a ficha, porque eu sei que tu vais conseguir.

A solidariedade de Pedro deu ânimo a Dornelles. Para saber o que seria necessário para a retirada das vítimas do Hospital de Caridade, ele teria que descobrir primeiro quantos sobreviventes haviam dado entrada no hospital. O cirurgião vascular Alcides Voguel, 39 anos, participou desse trabalho, formando, ao lado de uma enfermeira, a equipe de triagem. Juntos, eles definiram uma classificação dos pacientes de 1 a 3, escala que levaria em conta o índice de superfície corporal queimada. Os queimados graves entubados com ventilação mecânica seriam o número 1 na escala; já os que estavam em ventilação, porém não apresentavam risco imediato, eram identificados como 2. O grupo 3 era composto dos pacientes que respiravam com suporte de oxigênio, todavia se encontravam acordados.

Além da falta de leitos e de equipamento, Dornelles e a equipe de triagem se depararam com o problema da identificação dos sobreviventes. Os homens, em sua maioria, haviam sido internados com o RG; muitas mulheres, no entanto, não tinham nenhum documento. Como a maior parte delas perdera a bolsa durante o incêndio, não havia meio de fazer um reconhecimento rápido. Uma dentista que se apresentou como voluntária no Caridade iniciou um levantamento em cada leito para registrar as principais características das vítimas, incluindo tatuagens, cor do cabelo, tipo de brincos. De posse desses dados, tais características eram reveladas na porta do hospital, na tentativa de algum parente fazer o reconhecimento que garantisse uma futura transferência.

O assessor de imprensa do hospital, o jornalista Claudemir Pereira, tinha sido chamado às pressas em casa e passou a fazer a ponte entre a unidade, a imprensa e os familiares das vítimas. Uma lista de sobreviventes começou a ser preparada e os nomes iam sendo divulgados nas rádios da cidade. A movimentação era intensa em todos os hospitais do município. Enquanto isso, Dornelles iniciava os contatos com outros hospitais do estado. Ligou primeiro para o Hospital de Pronto-Socorro, em Porto Alegre, referência em queimados.

— Infelizmente, não tenho vagas. Você vai ter que tentar em outro lugar — respondeu a chefe do plantão, sem entender a gravidade do caso.

Dornelles se lembrou do Hospital Cristo Redentor, mas, antevendo a negativa, em função da histórica sobrecarga na saúde, decidiu acionar a Central de Regulação de Leitos do Estado do Rio Grande do Sul. Por sorte, um conhecido seu estava trabalhando na regulação.

— Dornelles, vamos dar apoio, sim. Como você quer transportar os queimados?

— Acho que de ambulância não dá, porque é um transporte demorado, sendo que nós temos poucas horas para impedir a piora desses pacientes — explicou, lembrando-se da base da Força Aérea Brasileira (FAB) em Santa Maria, segunda cidade do país em número de instalações militares.

Pelo celular, Dornelles localizou um sargento do Serviço de Resgate do Esquadrão Pantera, formado por helicópteros de combate e de resgate. Como estava de férias em Santa Catarina, o militar repassou ao emergencista o número da equipe de resgate SAR, do esquadrão 5º/8º GAV; todavia, por ser domingo, ninguém atendeu. Dornelles tentou, então, o telefone pessoal do chefe da equipe, o tenente Yuri Carneiro, 29 anos. Ao ouvi-lo, Yuri acionou seu comandante, o tenente-coronel Alex Moreira do Amaral, 42 anos, que falou por telefone com Dornelles.

— Tenente-coronel, eu sou Carlos Dornelles, médico do Samu, e preciso do apoio da Força Aérea. Neste momento, estou responsável pelo gerenciamento de crise do incêndio na Kiss. O senhor tem informação do que está ocorrendo aqui?

— Sim, doutor, estou sabendo que a situação é grave, tem muitas pessoas feridas. Em que nós podemos ajudar?

— Coronel, preciso das suas aeronaves para o transporte de pacientes para UTIs que vão ser referenciadas.

— Doutor, nossas aeronaves não são preparadas para transporte médico. Nós não temos as configurações para isso.

— Coronel, nós temos aqui muitas pessoas em ventiladores mecânicos, entubadas, sendo ambuzadas manualmente. É uma medida desesperada. Se a gente não evacuar principalmente os queimados para centros específicos, vamos perder mais gente. Eu preciso da sua ajuda.

— Doutor, só uma coisa: quantas pessoas o senhor precisa transportar? Três, quatro?

— Coronel, pelo quadro que estamos presenciando aqui, acho que umas quarenta, no mínimo.

— Quarenta? Doutor, a situação é muito séria! Tenho um Black Hawk aqui pronto. Vou ligar para Brasília e dou retorno.

Dornelles conhecia o Black Hawk, helicóptero muito usado para o transporte tático de tropas. O médico olhou no relógio — passava um pouco das oito horas. Precisava correr contra o tempo.

Naquele momento, o subcomandante do esquadrão de resgate, major Eduardo Barrios, 41 anos, já tinha sido mobilizado pelo comando do Esquadrão Pantera, sediado em Santa Maria. Yuri Carneiro foi designado para ser o oficial de ligação entre o Hospital de Caridade e a Força Aérea. Com o aval do comando, Yuri se deslocou para o hospital e o major Barrios — responsável por toda a operação aérea do esquadrão — dirigiu-se para o pátio militar, a fim de organizar a saída das aeronaves. A esta altura, o celular de Dornelles tocou:

— Consegui autorização do comando de Brasília — avisou o tenente-coronel Alex Moreira do Amaral. — Tenho um Black Hawk já pronto e em trinta minutos terei mais três disponíveis, além de duas aeronaves de asas fixas. Também acionei o plano de chamada dos militares da Base Aérea.

Dornelles continuou ao telefone, contatando também a Central de Regulação de Leitos, em Porto Alegre. Em vinte minutos, Yuri Carneiro chegou ao hospital. Quase simultaneamente, a Central de Regulação de Leitos fez contato com o emergencista.

— Doutor Dornelles, conseguimos leitos em Uruguaiana, Rio Grande, Pelotas, Erechim e Torres.

— Eu agradeço muito, mas acho que precisamos centralizar o socorro em Porto Alegre, porque a capital é um eixo que tem muitas especialidades disponíveis — explicou o médico do Samu.

Enquanto o pedido de Dornelles era avaliado, o emergencista telefonou para o Samu de Porto Alegre, a fim de pedir apoio para os pacientes no momento da chegada das aeronaves à cidade. Em ritmo frenético, Dornelles e Yuri Carneiro começaram a definir os pontos de decolagem e pouso.

— Yuri, a gente já tem um enfermeiro e um médico para montar as equipes de transporte, medicalizar todas as ambulâncias, preparar os equipamentos para transportar. Mas vamos decolar de onde?

Yuri informou ao médico que quatro helicópteros Black Hawk (H-60) seriam acionados, sendo que um já estava pronto para saída imediata, uma vez que a FAB convocara todos os funcionários em Santa Maria para comparecer à Base Aérea. A ideia inicial era utilizar o heliporto do hospital, mas Yuri descobriu que o local só tinha estrutura para receber aeronaves de até sete toneladas, três a menos do que o peso do Black Hawk. Foi quando surgiu a ideia de decolar do campo de futebol da Brigada Militar, a um quilômetro e meio do Caridade.

A aterrissagem, porém, seria outro problema. Na capital gaúcha, tanto o heliporto do Hospital Moinhos de Vento quanto o da Santa Casa não dispunham de infraestrutura para o pouso de helicópteros de dez toneladas.

— E se usássemos o Parque da Redenção?

A proposta de Dornelles fazia sentido não só pelas características do espaço, mas também pela proximidade com o Hospital de Pronto Socorro. Localizado ao lado do hospital, o parque público também ficava próximo da Santa Casa, do

Hospital de Clínicas e do Hospital Mãe de Deus, sendo um ponto estratégico para a regulação do Samu.

A ideia foi aprovada, contudo era preciso decidir onde ocorreria a aterrissagem das aeronaves de asas fixas, um C-95 Bandeirante e um C-98 Caravan. Mais tarde, o avião modelo C-109 Amazonas, cuja capacidade de transporte era de até sete leitos por voo, também seria disponibilizado. Havia a possibilidade de a aterrissagem ser feita na Base Aérea de Canoas, a dezenove quilômetros de Porto Alegre, mas a distância comprometia o socorro aos queimados. Ficou decidido então que o Aeroporto Internacional Salgado Filho, em Porto Alegre, seria usado pelos aviões da FAB, disponibilizados emergencialmente para a operação e adaptados para o transporte dos pacientes com ventiladores mecânicos, monitores e medicações.

— Doutor Dornelles, a Polícia Federal está aí fora querendo falar com o senhor — avisou uma enfermeira.

— Gente, mas o que é isso? — questionou o médico, nervoso. — O que a Polícia Federal quer comigo uma hora dessas?

Dornelles deixou a mesa onde estava e seguiu em direção ao corredor.

— Pois não, sou Dornelles — apresentou-se o médico, apertando a mão do policial.

— Doutor, nós viemos oferecer a nossa ajuda. Estamos de prontidão para qualquer coisa que o senhor necessitar. Se precisar fazer qualquer transporte, nossa equipe de batedores está pronta — informou um dos policiais.

O emergencista ficou surpreso com o gesto. A apresentação voluntária dos policiais rodoviários federais comoveu o médico, que sorriu pela primeira vez naquela manhã marcada por sofrimento profundo. A solidariedade humana renovou sua esperança.

— Nós agradecemos muito, porque estamos precisando demais dessa ajuda — respondeu Dornelles, emocionado.

De volta ao gabinete de gerenciamento de crise, Dornelles e o tenente Yuri iniciaram a transferência dos queimados. Dois pacientes em estado grave foram selecionados para o primeiro voo de helicóptero, que teria o acompanhamento do médico Pedro Copetti e do enfermeiro Fabiano. Para auxiliar no transporte, o Black Hawk foi equipado com materiais e medicação que pudessem ser usados em caso de alteração do quadro do paciente em pleno voo. Havia também a preocupação com a altitude ideal, uma tentativa de oferecer mais estabilidade para a vítima até a chegada em Porto Alegre.

O primeiro voo com sobreviventes foi autorizado antes das dez horas da manhã. Batedores da Polícia Rodoviária Federal e da Brigada Militar abriram caminho para as ambulâncias até o campo da brigada, em Santa Maria. Cinquenta minutos após a decolagem, o helicóptero da equipe SAR iniciou a descida no parque mais tradicional de Porto Alegre, com 370 mil metros quadrados de área.

O pouso em pleno domingo no Parque da Redenção, principal endereço de lazer dos porto-alegrenses, chamou a atenção das famílias que passeavam por ali.

— Ele vai pousar — gritavam os frequentadores, surpresos com a cena.

Enquanto se aproximava do solo, o helicóptero levantou uma nuvem de poeira, fazendo com que vendedores ambulantes e pais com crianças pequenas corressem à procura de abrigo. Um parque de diversões instalado próximo ao campo de várzea da Redenção sumiu em meio à tempestade de areia, que embaçou a manhã de sol. Duas viaturas do Samu esperavam com as sirenes ligadas pelo momento do desembarque das vítimas. Quatro minutos antes, o cilindro de oxigênio dos pacientes havia terminado, o que deixara a equipe médica ainda mais tensa.

Quando o Black Hawk tocou o solo da capital gaúcha, o telefone de Dornelles chamou em Santa Maria:

— Chegaram, Dornelles. Conseguimos. Os dois pacientes estão vivos e a caminho dos hospitais destinados — informou um médico regulador do Samu de Porto Alegre.

Dornelles fechou os olhos, juntou as mãos, encostando os lábios no celular. Respirou profundamente aliviado. Outros 57 sobreviventes ainda seriam aerotransportados, entre eles o veterinário Gustavo Cadore, que teve 38,5% da superfície corporal queimada. Os voos daquele dia trágico estavam só começando...

V. Desaparecidas

O rádio-relógio marrom ficou ligado a noite toda no quarto de Gainor Paim Righi. Ela gostava da companhia do aparelho, estrategicamente posicionado ao lado da cama. Com ele, as horas eram menos silenciosas no sobrado do bairro Presidente João Goulart, imóvel erguido ao lado do armazém onde criara os quatro filhos. Apaixonada pelo aparelho, a aposentada transformou a escuta em hábito diário. Familiarizada com a programação, conhecia a voz de todos os locutores e organizava a rotina da casa pelo horário de cada atração. Assim, aos 69 anos, dona Gainor dava conta de tudo: das denúncias contra a corrupção no Brasil ao anúncio das ofertas nos supermercados de Santa Maria. Mas, na manhã daquele domingo, as notícias eram diferentes do cotidiano da política ou da economia brasileiras. As rádios anunciavam uma tragédia no país e descreviam o seu desdobramento em tempo real. Desde a madrugada não se falava em outra coisa a não ser no incêndio da Kiss.

Assim, no início da manhã, Gainor já sabia do incêndio na boate, onde a neta Andrielle Righi da Silva tinha ido comemorar o aniversário de 22 anos ao lado de quatro amigas. Já os pais de Andrielle, vizinhos de dona Gainor, foram avisados sobre o evento por uma parenta de Flavinha, uma das meninas do grupo. O telefonema, recebido no final da madrugada, informava que ela e as gurias tinham conseguido sair da casa noturna, mas estavam desaparecidas.

Sem ter noção da gravidade do caso, a mãe de Andri ligou o computador em busca de notícias antes de sair à procura da filha. Não tinha ideia do que digitar até que resolveu escrever: BOATE KISS. Quando a lista de informações surgiu na tela, a doceira Ligiane Righi da Silva, 43 anos, sentiu um soco no estômago. Oitenta mortos até aquele momento, relatava um site na internet.

Recém-operada, dona Gainor não podia se levantar da cama, mas resolveu que não ficaria deitada enquanto o mundo acabava lá fora. Por isso, quando Ligiane e o marido, o prestador de serviços na área de construção civil Flávio José da Silva, 51 anos, saíram de carro para iniciar uma saga pelos hospitais, a mãe dela já estava de pé. Começara a rezar no quarto.

Também na casa de cada uma das amigas de Andri o sentimento de incerteza provocava medo e angústia. E, acordados pela notícia do desaparecimento das jovens, os pais e as mães das meninas saíram às ruas de Santa Maria para localizar as filhas e levá-las de volta para casa. Apesar de as cinco garotas serem próximas desde a adolescência, seus pais não se conheciam intimamente. Já haviam tido encontros esporádicos, mas não conviviam. O destino acabou unindo estranhos em meio à dor coletiva.

— Tia Ligi, o rádio está dando o nome da Andri. Disseram que ela está internada no Hospital Universitário — avisou Jéssica, 24 anos, sobrinha que acompanhava a doceira naquele momento, pois a família havia se dividido durante as buscas.

Ligiane, dois cunhados dela e Jéssica seguiram mais aliviados para o HUSM. Porém, ao chegarem lá, foram tomados pela decepção.

— De fato, tem uma Adriele Roth da Silva na lista de sobreviventes, mas ela não está aqui. Dê uma olhada no Hospital de Caridade — informou o funcionário.

— Mas a minha filha se chama Andrielle Righi da Silva, e não Roth — respondeu Ligiane, aflita.

— Tia, se acalme, eles devem ter digitado o nome dela errado — contemporizou Jéssica.

— Ela é uma menina baixinha? — perguntou Ligiane ao atendente.

— Não, é alta.

— Então não é minha filha.

Os familiares de Andrielle já haviam passado pelo Pronto Atendimento e pelo Hospital de Guarnição de Santa Maria. Saindo do HUSM, precisavam ir ao Caridade, para onde a pedagoga Vanda Dacorso, 46 anos, mãe de Vitória Dacorso

Saccol, uma das melhores amigas de Andri, tinha sido encaminhada. Gilzélia Quintanilha de Castro Oliveira, mãe de Gilmara Quintanilha Oliveira, que também fora à boate para comemorar o aniversário de Andri, já estava à procura da filha no hospital. Antes delas, a professora Helena Rosa da Cruz, 54 anos, e o marido, Delçon da Cruz, 49, tinham estado no Caridade em busca de Mirela — que fora à Kiss com Andri — e de seu outro filho, José Manuel, de apenas 18 anos.

Com exceção de Mirela e do irmão dela, os nomes de Andrielle, Vitória, Flávia e Gilmara estavam na lista dos 118 pacientes atendidos pelo Hospital de Caridade naquele dia. Como os quatro nomes estavam juntos, os pais das quatro amigas foram chamados ao mesmo tempo na recepção da unidade.

— Mãe — avisou uma funcionária na recepção, dirigindo-se a Ligiane —, você tem que fazer a internação da sua filha. Ela está aqui.

Com a foto de Andrielle nas mãos, Ligiane dirigiu-se ao setor de Internação, procedendo como lhe fora recomendado. Chegou a assinar os papéis de admissão da filha no hospital, quando foi questionada pela Assistência Social sobre ter confirmado ou não a presença dela no local.

— Tu viste a tua filha? — perguntou a funcionária.

— Não, mas nos informaram que ela está no leito seis — respondeu Ligiane.

— Então, como é que tu sabes que ela está aqui?

— Porque informaram que ela foi atendida pela pneumologista — disse Ligiane.

Nesse momento, Vanda interveio:

— Moça, a Vitória Saccol tem Unimed. Inclusive, se for preciso deslocá-la de helicóptero, a gente tem cobertura.

O ex-marido de Vanda, Ildo Santo Saccol, 59 anos, pai de Vitória, já havia preenchido os dados para a internação da filha.

— A senhora não está entendendo. Aqui todos estão sendo tratados iguais e da melhor forma possível — devolveu a assistente social.

— Tu me desculpes, eu não quero insinuar nada. Eu só quero dizer que minha filha pode ser levada para outro local, a fim de não tirar o lugar de outra pessoa.

— Espera aí, gente. Como vocês estão fazendo a internação de seus filhos se não os viram? — questionou outra profissional, que parecia ser a chefe do setor, interrompendo o processo de preenchimento da papelada.

Sem saber o que fazer, os familiares iniciaram uma varredura pelos dez andares do hospital. Quando acessou o corredor, Ligiane entrou em desespero ao ver a quantidade de jovens em ventilação mecânica. Para encontrar as filhas, ela e as outras mães precisariam percorrer leito a leito do complexo. Com a pele preta por causa da fuligem, muitas meninas estavam irreconhecíveis até para seus próprios parentes. O estado delas tornou a busca ainda mais difícil.

Separados, os familiares percorreram todos os leitos de CTIs de adultos, onde Vanda entrou pelo menos três vezes, passando pelas enfermarias, mas não havia pista das meninas. Nem a Maternidade e a UTI Neonatal foram poupadas da busca.

— Bah, mas o senhor esteve nessa ala agora mesmo — comentou um funcionário, dirigindo-se a Flávio.

— É que disseram que a minha filha Andrielle está internada aqui. Me deixe olhar mais uma vez, porque de repente eu não vi direito — pediu Flávio, que, nervoso, tornou a percorrer os leitos da Enfermaria na esperança de ver o rosto da filha ou das amigas de Andri.

— Tua filha está bem — informou finalmente um enfermeiro ao pai de Andri.— Ela está sendo assistida pela pneumologista. Nem precisou ir para o CTI.

— Mas, afinal, onde ela está?

— No leito seis.

Flávio correu pelo labirinto de passagens dentro do Caridade. Desceu três lanços de escada, pegou o elevador, andou pelo extenso corredor em busca do setor para onde disseram que a filha havia sido levada.

— Leito um, dois, três — enumerava em voz alta.

Quando avistou o leito seis, Flávio sentiu o coração disparar.

— Graças a Deus — disse, tocando o ombro da menina.

Ao olhar de perto, no entanto, percebeu que a paciente não era a sua filha. Tudo havia voltado à estaca zero. Sem saber mais onde procurar dentro do Caridade, a angústia só aumentava. Foi quando Ligiane começou a pensar que a filha e as amigas pudessem ter sido transferidas para Porto Alegre.

— Eu tenho uma certeza: quando nós acharmos uma, encontraremos todas.

* * *

Passava das sete da manhã quando se decidiu que o caminhão da Brigada Militar seria usado no transporte dos corpos encontrados na Kiss. Como o Instituto Médico-Legal não comportaria a quantidade de vítimas que precisava de reconhecimento, ficara decidido que os mortos seriam encaminhados para um único local: o Centro Desportivo Municipal Miguel Sevi Viero, mais conhecido como Farrezão. O ginásio de esportes do bairro Nossa Senhora de Fátima ficaria internacionalmente conhecido naquele janeiro, 27.

Com luvas brancas e máscaras, brigadianos, militares do Exército e voluntários começaram a carregar os corpos para dentro do caminhão de carga, cujo piso havia sido forrado com uma lona bege. Uma rampa fora improvisada para o acesso ao interior do veículo. Cada vítima era segurada por até quatro pessoas pelos pés e pelas mãos, na tentativa de não provocar novas lesões nos corpos. Como as macas estavam sendo usadas nos hospitais, os mortos foram colocados sobre a lona, e, diante da quantidade de gente, acabaram sendo empilhados uns sobre os outros. Quando o caminhão foi totalmente ocupado, a capitã da Brigada Militar Liliane contabilizou cerca de sessenta óbitos.

Porém, ao retornar ao interior da boate para dar continuidade ao trabalho de retirada das vítimas, a enfermeira foi surpreendida pelo número de pessoas que ainda havia na casa noturna. Ao todo, o caminhão da Brigada Militar realizaria oito viagens para concluir o transporte dos corpos, uma realidade estarrecedora. Eles seriam contados no ginásio, mas, pelos cálculos iniciais, pelo menos duzentos mortos foram retirados da boate, mais da metade dos banheiros masculino e feminino.

Acostumados a fazer o transporte de material, motoristas da brigada nunca pensaram que um dia carregariam cadáveres. Não encontraram palavras para descrever o trajeto de dois quilômetros que separa a rua dos Andradas, no Centro, do bairro Nossa Senhora de Fátima. Menos de duas horas após o início do carregamento do caminhão, as primeiras vítimas foram levadas para a área destinada no complexo desportivo. Cerca de cem policiais militares fizeram uma barreira humana para isolar o local, permitindo que o caminhão entrasse de marcha a ré em um dos ginásios para facilitar a retirada dos corpos. Além de Liliane e de outras duas enfermeiras militares, o cirurgião plástico Maurício Schneider Salomore Viano participou voluntariamente do descarregamento do veículo, sendo o primeiro médico a chegar para auxiliar na retirada. O peso de cada corpo ficaria marcado para sempre na memória dessas pessoas.

* * *

O desaparecimento de Andrielle e das quatro amigas interrompia um mês de comemorações iniciado com o aniversário de Vitória, estudante de Nutrição da UFSM que havia completado 22 anos no dia 7 de janeiro. Dezessete dias depois, era a vez de Andrielle fazer 22. Flavinha, que cursava Pedagogia na UFSM, aniversariava um dia depois de Andri e também alcançaria 22. Gilmara, 21 anos, estudante de Direito, e Mirela, estudante de Pedagogia da UFSM, igualmente com 21, recém-chegada à turma, completavam o quinteto de amigas.

Apesar de ter feito uma comemoração em casa na noite de quinta-feira — com direito a galeto assado e banho de chuva —, Andrielle havia combinado com as amigas finalizar o mês de aniversário na balada de sábado. Um dia antes, elas foram ao Absinto selar os 22 anos de Flavinha. No dia 26, estavam indecisas quanto ao endereço da comemoração. Ficaram entre a Kiss e o Bar do Pingo, mas ao final da votação a ida à boate acabou vencendo.

A noite de sábado, no entanto, começara bem antes, na rua João Lenz, no bairro Presidente João Goulart, onde ficava o principal ponto de encontro das meninas: a casa da manicure Fani Torres, 63 anos, mãe de Flavinha. Era lá, no imóvel de quarto, sala e cozinha, que as gurias gostavam de se arrumar. Como Flavinha era filha única, nascida quando Fani já havia completado 40 anos, a manicure, mãe solteira, acabou vivendo só para ela. Mesmo com poucos recursos, deixava de comprar para si para dar o máximo de conforto permitido por sua baixa renda. Por isso Fani agregava em casa as amigas das filhas. Chegava a lavar as roupas delas esquecidas por ali e devolver os tênis limpos. Queria ter Flavinha por perto e quem mais a filha escolhesse. Não se importava que elas passassem a noite fofocando sobre meninos e seus sonhos. Toda aquela movimentação preenchia o seu tempo. Fani se realizava em Flavinha. Queria muito pouco para si desde que a estudante de Pedagogia tivesse o suficiente para realizar seus desejos, como o de usar o delicado vestido dourado que vestiu no Natal de 2012.

Naquele 26 de janeiro de 2013 não foi diferente dos outros eventos. As amigas de Flavinha aportaram na casa da manicure para se produzir. Vitória, a menina que tingia os cabelos de vermelho com tinta de tecido, emprestou a Andri seu vestido preto, um de seus prediletos. Flavinha, a maquiadora oficial do grupo, resolveu usar azul, que, ao lado do dourado, era uma de suas cores da sorte. Mirela, que tinha sido Miss Santa Maria quando criança, vestiu uma jaqueta vermelha de parar o trânsito. Já Gilmara optou por um pretinho básico com transparência no colo.

Das cinco amigas, Andrielle era a única que não tinha entrado para a faculdade. A garota de longos cabelos pretos que fazia o tipo rebelde sem causa usava *piercing* no lábio, tocava violão e era rápida na conquista de novos amigos, apesar da timidez com garotos. Com fome de viver, ela se preocupava pouco com o futuro. Deixava a mãe, Ligiane, preocupar-se pelas duas, afinal tinha tempo de sobra pela frente, e isso lhe bastava.

— Filha, te cuida — pedia Ligiane.

— Mãe, sabe o que eu descobri? Que quando uma mãe diz "te cuida" para a filha ela quer dizer "eu te amo".

— Então te cuida!

No réveillon de 2013, Andri fez uma promessa à família.

— Mãe, este ano será diferente. Prometo que a senhora, o pai e a Gabi sentirão muito orgulho de mim — garantiu a menina, que no princípio da adolescência brincava de beijar os peixes que pescava com o pai no rio Ibicuí, na Colônia de São Lucas, para transformá-los em príncipes encantados.

— Mas, filha, eu já tenho muito orgulho de ti, podes ter certeza disso. O que desejo apenas é que tu te encaminhes — respondeu a doceira, que também é mãe de Gabrielle, cinco anos mais nova que a irmã.

O desejo da mãe de Andrielle era o mesmo de Vitória. A universitária chamava Andri de "mana" e torcia para que, assim como ela, a amiga se encontrasse em alguma carreira. Sentindo-se realizada na Nutrição, cujo curso é ministrado na cidade de Palmeira das Missões, Vitória estava no último ano da faculdade e dividia com a mãe, Vanda Dacorso, a empolgação com os preparativos da formatura, marcada para o final de 2013.

Quando Vitória optou pelo curso a duas horas e meia de distância de Santa Maria, Vanda, já separada do pai da menina, não teve dúvidas: acompanhou a filha mais nova em sua jornada. Decidida a estar com sua "Vi-Bem-Te-Vi", como a pedagoga a apelidara, Vanda mudou-se com a universitária e a filha Geulise, 26 anos, que tem Síndrome de Down, de mala e cuia para a terra do carijo da canção gaúcha.

Apesar da distância, a amizade entre Vitória e Andrielle foi mantida. Prova disso é que ela fizera questão de viajar para Santa Maria na quinta-feira, dia 24, debaixo de chuva e dirigindo sozinha pela primeira vez em uma

BR, só para estar com Andri e as gurias na comemoração do aniversário da "mana". Na pressa, ela esqueceu a mala em casa. Ao encontrar a mala da filha, Vanda teve um mau presságio.

— Paizinho, cheguei em Santa Maria — anunciou Vitória, surpreendendo Ildo, que continuara morando em Santa Maria.

Sem mala, ela pediu ao pai, por telefone, que ele procurasse o sapato preto de salto alto que havia comprado recentemente e que esquecera na casa dele.

— Ele está aí, pai?

— Eu não usei, filha — disse Ildo, rindo.

No sábado pela manhã, Vitória foi até o endereço do pai em busca do tal sapato novo. Sairia com ele na noite em que Gilmara seria a motorista do grupo. Passava da meia-noite quando as cinco amigas entraram na Kiss. O estudante de Desenho Industrial da UFSM Maike Adriel dos Santos, 21 anos, um dos melhores amigos de Andri, estava com elas. Junto dele havia a jovem Merylin Camargo dos Santos, 18 anos. Dentro da boate, Maike ainda encontraria com Danrlei Darin, 18 anos.

* * *

O sol estava a pino na cidade batizada pelos gaúchos de Coração do Rio Grande. Com os termômetros marcando 39 graus, o calor era intenso em Santa Maria naquela tarde de domingo. Os pais de Andrielle e de suas amigas permaneciam dentro do Hospital de Caridade à procura das meninas, cujos nomes continuavam a aparecer na lista dos atendidos na unidade. Às três e meia, um novo boletim incluía Andrielle, Gilmara, Flavinha e Vitória como pacientes. Sem ter mais nenhum leito para percorrer, Vanda Dacorso, mãe de Vitória, abordou a responsável pela parte administrativa da unidade, segurando seu braço:

— Tu vais ter que me responder uma coisa: eu sei que muitas das crianças trazidas para cá foram transferidas para outros hospitais sem a autorização de pai e de mãe, em função da urgência. Mas eu quero ter acesso às informações, porque até agora eu não consegui encontrar a minha filha.

A mulher olhou para Vanda por uns instantes, penalizada, respondendo em seguida:

— Eu vou precisar te dizer uma coisa: infelizmente, foram levas e levas de jovens que chegaram aqui. Eu não sei como me referir de outra forma, porque foram levas e levas. Teve uma leva de jovens trazidos para cá, os primeiros a serem atendidos, que também foram os primeiros a entrar em óbito no hospital. Nós perdemos um pouco desse controle, porque não havia como fazer muitos registros. Estão levando os corpos direto para o Centro Desportivo Municipal. Eu não sei como isso está sendo organizado, mas tu tens que pensar nessa possibilidade.

Vanda entrou em desespero. Não podia aceitar essa hipótese, afinal, Vitória estava o tempo todo na lista dos vivos e havia notícias de que fora entubada. Em meio ao impacto provocado por aquele diálogo, ela avistou, de longe, o ex-

-marido, Ildo, que aguardava sentado em uma cadeira do hospital pelo momento de ver a filha.

— Como eu vou dizer isso para ele? Como eu vou dizer isso para a minha mãe? Como eu vou dizer isso para a Geulise? — questionou Vanda sem saber o que fazer.

Era hora de ir para o Centro Desportivo Municipal, enfrentar o pior medo de qualquer mãe.

VI. Quando a política vem na frente da dor

— Tu vens pra cá conosco!

O chamado da capitã da brigada Liliane pegou Márcia Dias Viana, 48 anos, de surpresa. Antes das oito da manhã de domingo, a enfermeira da Secretaria Municipal de Saúde já estava no pátio do Centro Desportivo, para ajudar a montar grupos de trabalho de urgência e emergência que auxiliariam no apoio aos familiares que haviam perdido parentes na Kiss. Acionada em casa por Adriana de Castro Rodrigues Krum, ex-coordenadora da Política da Saúde Mental de Santa Maria, Márcia foi para o Farrezão sem ideia da dimensão da tragédia. Em efeito cascata, ela e outros recrutaram colegas para trabalhar naquela manhã de guerra. Além destes, mais de trezentos profissionais da saúde se apresentaram voluntariamente no complexo desportivo, todos sem saber exatamente o que poderiam fazer. Em algumas horas, voluntários de todas as partes do Rio Grande do Sul e do Brasil se deslocaram para Santa Maria, que receberia apoio até de países vizinhos.

O desejo de ajudar era tão grande que, no momento em que foi chamada pela capitã da brigada, Márcia nem perguntou que papel desempenharia. Como já conhecia a militar, a enfermeira simplesmente a seguiu. Quando se deu conta, porém, estava diante dos corpos das vítimas que ainda não tinham sido retirados do caminhão da brigada.

— Mas como eu faço isso?

— Eu também não sei — respondeu Liliane. — Puxa eles!

Márcia não teve tempo de pensar se estava preparada para aquela tarefa, apenas fez o que parecia inacreditável: ajudou a descarregar 233 corpos. Ao puxar os cadáveres pelos pés e pelas mãos, não tinha noção de quem levava para dentro do ginásio. Eram tantas as vítimas, que ela não conseguia mais fixar sua atenção nas características individuais, a não ser o olhar de pânico de um rapaz cuja imagem jamais esqueceria.

Após serem retirados do caminhão, os jovens foram enfileirados no Ginásio Esportivo Professora Gisele Borin (dentro do CDM), cujo chão fora recoberto de luto — uma lona preta sobre o piso azul e laranja da quadra de futebol de salão. Em cima dela, os homens foram colocados à direita da porta de entrada, e as mulheres ficaram à esquerda. Quando o portão de ferro foi fechado, os 750 metros quadrados de área do ginásio estavam tomados por corpos dispostos em três fileiras de cada lado.

Ao olhar para aquela devastação humana, Márcia parecia não acreditar no que seus olhos lhe mostravam. Era como se estivesse assistindo a um filme, embora todo aquele cenário fosse dramaticamente real. Apesar de haver muitos profissionais da saúde no Farrezão, pouquíssimos conseguiram ficar ali. Com exceção dos policiais civis e dos doze médicos legistas do Instituto Geral de Perícias (IGP) do Rio Grande do Sul, que seriam deslocados para lá, só Márcia, Liliane e mais duas oficiais da brigada permaneceram no local durante todo o dia.

— Eu não consigo ficar aqui, não consigo. Parece que estou enxergando os meus filhos — disse uma enfermeira que trabalhava ao lado de Márcia.

— Então saia — pediu Márcia, penalizada com o desespero da colega, imediatamente seguida por outra enfermeira.

Márcia também desejou ir para o pavilhão destinado aos familiares, mas não conseguiu. Sentiu que sua missão, por mais penosa que fosse, era junto das vítimas. Ao lado de Liliane, ela começou a recolher bolsas e sapatos sem identificação, levando todo esse material para os fundos do ginásio. Depois, elas vasculharam as roupas dos rapazes na tentativa de encontrar documentos que ajudassem no reconhecimento. Em meio aos mortos, Liliane reconheceu quatro jovens, filhos e filhas de amigos. Os pais de dois deles eram médicos e colegas de profissão de seu marido, o urologista Áureo Felipe Norberto Duarte, 48 anos, que também era legista do Instituto Geral de Perícia.

Era preciso coragem para enxergar, além dos corpos, fragmentos de suas histórias. Cada pertence resgatado reconstituía a individualidade das vítimas, que assim recuperavam seu nome e conquistavam o direito de serem enterradas com dignidade.

— Márcia, olha isso — chamou Liliane, emocionada.

A capitã da brigada havia encontrado com os rapazes não só dezenas de registros gerais, como muitas fotos nas carteiras. A maioria era das mães e algumas de filhos desses jovens pais. Pelo menos vinte crianças ficaram órfãs de pai ou mãe naquele dia. Algumas delas perderam os dois. Havia também entre os pertences imagens de santinhos e notas únicas de R$ 50 dobradas no bolso da calça jeans usada pelos rapazes. Como a maioria era estudante, muitos saíam para a balada com o dinheiro contado. Aos poucos, as peças daquele imenso quebra-cabeça de dor iam se encaixando e formando capítulos de vidas que nove horas antes ainda pulsavam.

No caso dos rapazes, poucos tinham lesões no corpo. Um ou outro apresentava ferimento profundo nas pernas provocado certamente por saltos femininos, e só um estava carbonizado. A situação das mulheres, no entanto, era diferente. Elas se machucaram mais durante o tumulto e pouquíssimas estavam com suas bolsas. Além disso, no instante em que as bolsas eram abertas, constatava-se que em geral havia mais de uma identidade dentro, já que é comum que amigas, ao saírem em grupo, carreguem pertences das outras, principalmente identidade, cartão de banco, chave de casa e batom. Outra questão é que todas estavam maquiadas e a maioria, com os cabelos escovados. A produção visual a que haviam se dedicado prejudicava a identificação, pois era difícil reconhecê-las nas fotos rotineiras feitas para documentos.

Ali os celulares ainda tocavam freneticamente.

— Doutor, veja isso — apontou Márcia, indicando um aparelho que já tinha 134 ligações não atendidas com o nome "mãe".

— Não pega — alertou o médico.

Celulares, documentos, chaves e carteiras foram depositados em pequenos sacos azuis de plástico em cima dos corpos. Com um pano molhado, enfermeiras e médicas voluntárias limparam o rosto coberto por fuligem das meninas. A intenção era melhorar seu aspecto, na tentativa de facilitar a identificação e não chocar ainda mais os familiares que esperavam lá fora para saber se a filha, o irmão, a noiva ou o marido estaria na lista dos mortos. Era meio-dia e o calor beirava o insuportável dentro do ginásio coberto por telha de amianto. O odor dentro do prédio causava repulsa.

O suor dos profissionais da área da saúde se misturou ao cheiro de urina, fezes e objetos queimados, causando um impacto profundo em quem estava dentro da quadra, transformada em local de coleta de material biológico retirado dos cadáveres. A coleta de urina e de sangue nesse tipo de situação nunca tinha sido feita por Márcia, deixando-a assustada.

— Eu tenho medo — confessou ela a um dos médicos que a orientava na punção suprapúbica, que retira urina da bexiga com o uso de uma seringa.

Seria preciso superar isso também, pois o líquido precisava ser analisado futuramente. Havia a indicação de colher o sangue diretamente do coração, já que outras partes do corpo estavam comprometidas, em função das altas temperaturas na boate. Essas amostras permitiriam avaliar o grau de toxicidade dos gases aspirados na Kiss.

Abaixada para fazer a punção de bexiga em uma jovem seminua, Liliane ouviu o barulho de *flash* sendo disparado pelo celular de um rapaz que trabalhava em uma das três funerárias que atenderam no ginásio. A capitã da brigada enlouqueceu diante do oportunismo mórbido e do desrespeito. Cega de revolta, largou o material da coleta e partiu para cima do sujeito:

— Tu vais quebrar o meu braço — avisou o rapaz enquanto era imobilizado pela militar.

— Capitã, deixa ele comigo. A senhora apague todas as fotos que ele fez neste ginásio — afirmou um promotor que prometeu tomar providências.

— Eu só não vou quebrar esse teu celular porque eu não vou ser igual a ti. Mas a vontade que eu tenho é de quebrar esse aparelho na tua cara — declarou a militar, aos berros.

— Foi sem querer, foi sem querer — alegou o rapaz, tentando se livrar da responsabilidade de ter se aproveitado daquele momento terrível para fotografar uma jovem com os seios descobertos.

— Não tem sem querer. Não há desculpa para o que tu fizeste — respondeu ela, tentando retomar o controle.

O gesto indigno, porém, não seria o único naquele dia.

* * *

Para a realização das 233 necrópsias, uma força-tarefa foi montada pelo Instituto Geral de Perícias. Áureo Felipe Norberto Duarte, que também é especializado em cirurgia geral, estava no Hospital de Caridade, onde se apresentara como voluntário, quando foi chamado por sua chefia para integrar o grupo de seis legistas que iniciariam os exames no ginásio. Ao longo da manhã, outros seis médicos de São Gabriel, Cruz Alta, Santiago e Porto Alegre se somaram ao grupo para o trabalho. Áureo fez em um dia o total de perícias previstas para quase um ano. Necropsiou 33 vítimas, algumas delas filhos de amigos. Apesar do preparo emocional para esse tipo de trabalho, o incêndio na Kiss fugia a qualquer parâmetro que ele e os colegas legistas tivessem vivenciado em sua atuação profissional. Era como se um Boeing 787 tivesse caído sobre Santa Maria ou se quase cinco ônibus com cinquenta passageiros cada um se acidentasse ao mesmo tempo, matando todos a bordo.

No Brasil, o incêndio correspondia ao segundo maior em número de óbitos, perdendo apenas para o Gran Circo Norte-Americano, de Niterói, com quinhentas vítimas em 1961. No entanto, as características da Kiss, que teve todas as suas saídas de ar vedadas, transformariam o evento em um dos maiores do mundo quando se fala em vítimas de incêndios em ambientes fechados. Nos dias que se sucederam à tragédia, a Kiss seria comparada a uma ratoeira, verdadeira armadilha para jovens que jamais desconfiaram que não estavam seguros.

Em função da quantidade de vítimas e dos indícios de que os óbitos foram provocados por asfixia ou intermação, que é a ação direta de extremo calor sobre o organismo, o grupo de legistas decidiu que não seria realizada a necrópsia-padrão, cujo protocolo estabelece a abertura das três cavidades principais do corpo: tórax, abdômen e crânio. Essa necrópsia é comum em investigações de crimes nos quais não se sabe claramente os motivos que levaram à morte. Mas há situações especiais previstas, inclusive no Código Penal, e o caso Kiss se encaixava nelas. Na prática, quanto menos um corpo é violado, melhor, desde que não reste nenhuma dúvida sobre a causa da morte.

E, naquela manhã dolorosa, a análise dos cadáveres confirmava o que já se percebia nos hospitais: o alto grau de toxicidade da fumaça aspirada matara mais de duas centenas de pessoas sem dar tempo de socorro. Enquanto os peritos criminais faziam a análise do ambiente da boate, os legistas buscavam evidências nos corpos. Em todos havia sinais típicos de asfixia, como protrusão da língua, com inchaços característicos, e presença de fuligem nas vias aéreas superiores, confirmando a aspiração de grande volume de fumaça. Já o índice de queimaduras era baixíssimo, o que reforçava a tese principal de asfixia.

O trabalho dos legistas junto às vítimas seguiu silencioso durante quase todo o período, mas, de tempos em tempos, podiam-se ouvir lamentos que quebravam a dureza da função. Nenhum mecanismo de proteção os isentou de chorar por Santa Maria e por tudo o que a soma de vítimas naquele ginásio representava: mais de 9 mil anos potenciais de vida perdidos, considerando-se a expectativa de vida do brasileiro em torno de 75 anos. Não havia como ficar imune ao sofrimento provocado pela tragédia. Naquele domingo, a cidade inteira tinha seu coração preso dentro de um ginásio.

* * *

Quando a notícia do incêndio alcançou o país, estarrecendo o mundo, a presidente da República, Dilma Rousseff, estava fora do Brasil. Ela havia viajado para Santiago, no Chile, onde participava da reunião de cúpula da Comunidade de Estados Latino-Americanos e Caribenhos (Celac) e União Europeia. Um dia antes do evento, Dilma e a chanceler da Alemanha, Angela Merkel, haviam conversado por quarenta minutos sobre a recuperação da economia na Europa, que, apesar de reagir à crise por que passava, ainda registrava um alto índice de desemprego entre os jovens. A chanceler também mencionou os avanços da economia brasileira, à época sinalizando para oportunidades de investimento em áreas específicas no país.

Naquele domingo, no entanto, tão logo foi informada do desastre, a presidente do Brasil suspendeu os compromissos no Chile. Antes de embarcar de Santiago para Santa Maria, ela fez um pronunciamento na cidade chilena, lamentando a tragédia e garantindo que colocaria todo o *staff* do governo a serviço do povo gaúcho.

Além da presidente, Santa Maria recebeu dezenas de políticos. O governador do Rio Grande do Sul, Tarso Genro, usou sua conta no Twitter para lastimar o ocorrido e avisar que estava de partida para a cidade. O ministro da Saúde, Alexandre Padilha, desembarcou no município, seguindo direto para os hospitais que atendiam os sobreviventes. A ministra dos Direitos Humanos, Maria do Rosário, também aportou em solo gaúcho. A presença dessas autoridades era apenas o início dos contornos políticos do episódio, já que logo, logo viria à tona o fato de a boate estar funcionando com Alvará de Prevenção e Proteção contra Incêndio vencido e em condições inadequadas, apesar de ter sido vistoriada pelo Corpo de Bombeiros e por fiscais da Prefeitura de Santa Maria.

Alheios à movimentação política, os familiares ainda não tinham confirmado a morte das 233 vítimas, e a incerteza tornava mais dramática a espera por notícias. Enquanto milhares de parentes, amigos e curiosos se aglomeravam na entrada do Centro Desportivo Municipal, o ginásio onde os mortos tinham sido colocados continuava fechado para a finalização dos trabalhos da perícia. Foi quando teve início o cumprimento de um protocolo vergonhoso: a entrada dos políticos.

Ignorando a dor de todas aquelas pessoas, autoridades e suas comitivas tiveram acesso ao ginásio, liberado antes da entrada dos pais. E nem todos mantiveram uma postura respeitosa diante dos cadáveres. Várias fotos começaram a ser feitas, levando a capitã da brigada Liliane a dar voz de prisão por quatro vezes. Se havia por parte do grupo político alguma ideia de solidariedade, também havia muita curiosidade em torno do incêndio e de quem fora vítima, deixando indignados os grupos de profissionais que corriam contra o tempo para devolver aquelas pessoas às suas famílias.

À exceção da presidente Dilma Rousseff — que preferiu esperar do lado de fora do ginásio, perto das mães que aguardavam o duro momento do reconhecimento —, todos os políticos que desembarcaram em Santa Maria entraram no ginásio onde os corpos estavam.

Ao aproximar-se de Liliane, o ministro da Saúde, Alexandre Padilha, ofereceu ajuda.

— Vocês estão precisando de alguma coisa?

— Eu não. Mas o senhor deve saber que os médicos estão implorando por respiradores nos hospitais. Porque tem médico ambuzando paciente manualmente, no limite das suas forças, à espera do respirador. Aqui, como o senhor está vendo, não tem o que mudar.

Liliane referia-se ao esforço dos profissionais da saúde que trabalhavam desde a madrugada para manter vivos moças e rapazes em estado crítico. Verdadeiros mutirões foram montados na tentativa de evitar novas perdas, apesar da falta de equipamentos e em meio ao estado de guerra que assolou o município. A ajuda mais do que bem-vinda da Força Nacional do Sistema Único de Saúde (FN-SUS) — criada por decreto em 2011 e composta por profissionais da saúde voluntários para atender calamidades — chegou a Santa Maria no início da tarde de domingo, mais de dez horas depois da ocorrência do evento, trazendo inclusive equipamentos de socorro, entre os quais trinta ventiladores artificiais, trinta oxímetros, quinze monitores, 22 respiradores e duzentas ampolas de imunoglobulina antitetânica. Mas o gerenciamento da crise, que demandou a necessidade de atendimento médico imediato a 577 pessoas na primeira hora que se seguiu ao desastre, havia começado com a organização e a solidariedade da rede local, que abriu todas as portas para receber os sobreviventes.

Quando a comitiva deixou o ginásio, um homem fardado se apresentou à capitã da brigada. Tratando-se de um superior hierárquico, Liliane se colocou em posição de sentido, mas foi liberada por ele.

— Prazer, major, sou Liliane, capitã da Brigada Militar. O senhor gostaria de assumir os trabalhos aqui?

— De forma nenhuma. Vim aqui para te obedecer. A técnica és tu. Do que tu precisas neste momento? — perguntou o major Rodrigo de Almeida Paim.

A enfermeira olhou ao redor, incomodada com a quantidade de copos descartáveis, lenços de papel e materiais diversos espalhados pela quadra.

— Senhor, na verdade, eu preciso que limpem o lixo.

O oficial do Exército arregaçou as mangas, abaixou a cabeça e em seguida começou a limpar o ginásio, sendo seguido por outros militares.

VII. O CORPO NÚMERO VINTE

Quando a pedagoga Vanda Dacorso chegou ao Centro Desportivo Municipal em busca de notícias sobre Vitória, a comitiva presidencial estava saindo do complexo. Minutos antes, ela havia recebido um telefonema da técnica de enfermagem Maria Carmem Saccol, 51 anos, tia da jovem:

— Vanda, como a Vitória estava vestida?
— Eu não sei.
— Ela estava usando uma pulseirinha?
— Não sei, Carmem. Ela se arrumou na casa da Flavinha.
— E uma correntinha?
— Também não sei.
— Mas ela tem um anel azul, né?
— Tem, sim, foi presente dos 15 anos dela.
— Então, eu acho que você precisa vir para cá — afirmou Carmem, que estava dentro do CDM.

— Eu já estou perto daí — respondeu Vanda, sem conseguir coordenar as ideias.

Com a saída dos políticos, o portão do Ginásio Esportivo Professora Gisele Borin seria finalmente liberado para as famílias. Mas o acesso dos parentes naquele espaço só seria permitido com pelo menos um acompanhante. Vanda não sabia disso quando chegou ao pátio do Farrezão na tarde de domingo.

Decidida, ela venceu sozinha os 79 passos que separam o portão do CDM do pavilhão onde os corpos estavam. Barrada na porta, soube que precisaria de alguém ao lado dela.

— Mas capaz mesmo que eu vou esperar... — disse, nervosa, procurando ao redor algum rosto conhecido.

Carmem havia pedido a um amigo em comum, enfermeiro, que recebesse Vanda na entrada do prédio. Eram quase quatro da tarde quando ela e o profissional da saúde entraram de mãos dadas no local onde estavam as vítimas.

O forte odor que Vanda sentiu a deixou impactada. O ginásio tinha cheiro de fumaça e de carne queimada. Quando Carmem a viu, caminhou rapidamente em sua direção. Foi ela quem guiou a pedagoga pela quadra de futebol. Por mais cruel que fosse toda aquela cena, Vanda não tinha como se esquivar de olhar. Precisava colocar um ponto final em um dia inteiro de dúvidas. Estava no limite da sanidade. Ao saber que teria de andar por entre as vítimas femininas, não teve certeza de sua capacidade de suportar tamanha violência.

Quando se aproximou do corpo que poderia ser o de Vitória, acabaram-se as dúvidas: sua filha estava deitada no chão frio daquele ginásio. Ao encontrá-la, foi tomada de uma sensação estranha. Olhando para ela, não conseguia mais enxergar sua "Vi-Bem-Te-Vi", e sim apenas um corpo vazio que parecia ser do tamanho de uma boneca.

— Minha filha não está mais aqui — repetia para si mesma, tentando encontrar algum consolo em meio a toda aquela destruição.

Aquela não era mais a sua menina. Era o corpo número vinte.

Vanda ajoelhou-se ao lado de Vitória e, diante de tantas imagens chocantes, pensou na dor das mães que não teriam a mesma "sorte" que ela de encontrar a filha intacta. Sem conseguir medir o tempo que ficou ali, lembrou-se de que precisaria tirar Vitória daquele lugar, pensar na burocracia de um enterro. Ao afastar-se, no entanto, foi interpelada por Carmem sobre a possibilidade de reconhecer o corpo de uma das amigas de Vitória. Ao aproximar-se da outra jovem, Vanda sentiu-se mal. Tomada por uma súbita asfixia, não conseguiu respirar. Sentiu uma espécie de ardência e de ronqueira no peito, pensou que fosse desmaiar.

— Acho que estou surtando. O que eu faço? Estou surtando — gritava, sem ar.

Socorrida pelos profissionais da saúde, recebeu um copo de água, assentando-se. Aos poucos, foi retomando a respiração normal, sentindo as forças voltarem. Precisava mais do que nunca agilizar a papelada que permitiria levar Vitória. Além do reconhecimento do corpo, era necessário estar com o atestado de óbito dela em mãos para acionar uma das funerárias que prestavam serviço no local. Após dar andamento aos papéis, seria hora de sair daquele pavilhão e enfrentar um mundo sem Vitória.

Para acessar o portão do ginásio, Vanda passou por entre as vítimas masculinas. Estava quase na saída, quando começou a gritar por ajuda:

— Socorro, esse guri está agarrando as minhas pernas! Não consigo me soltar — dizia, imóvel.

Carmem pegou o braço de Vanda, querendo acalmá-la. Dizia a ela que o rapaz estava morto, mas a pedagoga insistia que sua perna estava presa por ele.

— Carmem, ele está me agarrando. Ele está me agarrando. Carmem, eu não posso fazer nada por ele. Me solta, pelo amor de Deus!

— Calma, Vanda. Ele está morto, não vê? Quer que eu chame um médico? — perguntou a enfermeira, tentando trazê-la de volta à realidade.

— Não sei. Me tira daqui, me tira daqui — repetia, desesperada.

Vanda saiu do ginásio amparada. Lá fora, o ex-marido a procurava. Ildo ainda não tinha a confirmação da morte da filha. Vanda o avistou de longe e, quando eles se encontraram, ela não precisou dizer nada. Ao dar as mãos à ex-mulher, ele soube através dos olhos dela que, daquele minuto em diante, tudo seria diferente.

* * *

A capitã da Brigada Militar Liliane trabalhou sem trégua desde a madrugada de domingo para resgatar os corpos na

Kiss e entregá-los a seus familiares. Estava tão focada nessa tarefa que nem se lembrou de vestir a farda. A questão humana, para ela, ia muito além das convenções sociais e do regimento da corporação militar, embora, mais tarde, tenha sido surpreendida com a abertura de um inquérito sobre sua vestimenta. Outros militares, igualmente sem farda, foram questionados por seus superiores.

O trabalho de reconhecimento das vítimas exigiu da enfermeira força redobrada para acompanhar o drama de tantas famílias que deixavam o ginásio mutiladas. O estranho é que Liliane teve a impressão de que os parentes, uma boa parte pelo menos, saía da quadra devastada, sim, porém mais pacificada por ter descoberto, finalmente, o motivo pelo qual os filhos não mandavam notícias. Não que fosse fácil para eles a constatação da perda, jamais seria, mas a dúvida também tinha um efeito arrasador.

A esperança de que o ente querido não estivesse dentro do ginásio, no entanto, continuava viva até o último minuto, mesmo depois de os olhos confirmarem o que o coração não podia aceitar.

— Não é ela — afirmava uma mulher para Liliane, depois de entrar pela segunda vez no pavilhão.

A certeza daquela mãe colocava em dúvida os depoimentos das amigas da jovem, cujo corpo elas já haviam reconhecido.

— Não é ela — insistia, olhando pela terceira vez.

Liliane tornou a limpar o corpo da menina, procurando algum sinal que permitisse o seu reconhecimento. Encontrou em sua perna uma tatuagem com o nome "Dani", finalizada com um coração.

— Mãe, tem alguma coisa especial na sua filha? Alguma tatuagem, alguma marca? Porque se tua filha for essa menina, tu não vais querer deixar ela aqui. Vamos tirar ela daqui — pediu Liliane.

— Sim, ela tem uma tatuagem com o nome dela e um coração.

A enfermeira puxou a lona que cobria parte do corpo, mostrando o desenho tatuado na perna dela. A mãe, então, olhou para Liliane, inundada de tristeza.

— Eu sabia que era ela, mas tinha tanta esperança que não fosse... — respondeu a mulher, chorando.

Liliane pensou no sentimento de todas as outras mães, que, certamente, haviam lutado muito para que seus filhos chegassem à idade adulta. Após atender aquela mulher, a enfermeira avistou um pai inconsolável. Ajoelhado ao lado de um corpo feminino, ele conversava com a filha morta:

— Eu te avisei tanto para tomar cuidado. E olha o que aconteceu. Você está aí agora.

A cena, de cortar o coração, repetiu-se muitas vezes naquele ginásio.

* * *

Luís Cláudio Fernandes de Oliveira, 50 anos, entrou no ginásio não à procura de um filho, mas de dois: Alan Raí Rehbein de Oliveira, 25 anos, e Thylan Rehbein de Oliveira, 20. O mais novo morava com a mãe, em Agudo, no centro do estado, e tinha viajado para Santa Maria na última sexta-feira a fim de fazer matrícula na Faculdade de Engenharia Mecânica da UFSM. Thylan foi o primeiro da família a chegar ao ensino superior, causando um orgulho enorme em Luís Cláudio, que não conseguira terminar o ensino médio. A conquista do filho mais novo era de toda a família. Já Alan não pensava em cursar faculdade. Torcedor fanático do Internacional, herdara do pai a paixão pelo futebol. Seguindo os passos de Luís Cláudio, tornou-se árbitro de futebol amador.

Ao cruzar o portão da quadra, Luís Cláudio não precisou andar muito por entre as vítimas masculinas. De longe enxergou um documento colocado em cima de um dos corpos que chamou sua atenção pela cor vermelha: a carteira do Inter, clube ao qual Alan era associado. Não teve dúvidas de que era o filho mais velho que estava ali. Ao se aproximar, reconheceu seus pertences. Além da carteira e do título de eleitor, a comanda da Kiss havia sido achada dentro do bolso da calça dele. O celular também estava junto de seu corpo. O aparelho continuava ligado e tinha dezenas de ligações não atendidas. Thylan estava dois corpos depois do irmão. Sobre o jovem haviam colocado a sua Carteira Nacional de Habilitação e o telefone.

Anestesiado, Luís Cláudio ajoelhou-se ao lado de Alan, acariciando seu rosto:

— Filho, eu não queria que tu tivesses ido àquela boate. Mas já que tu foste com o teu irmão, eu preciso que vocês dois me deem forças para aguentar tudo isso.

Luís Cláudio ainda conversava com o filho mais velho quando foi abordado por um policial:

— O senhor tem mais alguém que possa identificar?

— Tenho, sim: as noivas dos guris, Nathiele dos Santos Soares e Bruna Neu, e um amiguinho que mora em Agudo. Estamos à procura deles.

Estavam todos no ginásio.

* * *

— Filha, não acredito que você está aqui — desesperou-se Tatiana Soares Caminha, 48 anos.

Transtornada, a auxiliar de serviços gerais abraçou-se ao corpo da jovem que julgava ser Marfisa Soares Caminha, 27 anos. Ela trabalhava como caixa na Kiss e, desde a madrugada, não havia feito contato com os pais. O noivo e o filho dela, Felipe, de 11 anos, também não haviam recebido notícias. Ainda assim, Tatiana alimentava esperanças de que ela estivesse viva.

Moradora de Rosário do Sul, município próximo da fronteira com o Uruguai, Marfisa havia se mudado para Santa Maria a convite da mãe, que deixara o interior em busca de emprego. Depois de sair de Rosário do Sul, a filha de Tatiana tornou-se funcionária na Kiss. Foi Tatiana quem arranjou o emprego para ela na boate. Como Marfisa trabalhava à noite, a mãe a ajudava a cuidar do neto. Aliás, ficou ao lado dela em todo o período de gestação. Grávida na adolescência, Marfisa deu à luz aos 16 anos, tornando-se mãe solteira. Desde então, passou a viver para o menino.

— Mãe, essa não é sua filha — avisou o policial militar para Tatiana.

A auxiliar de serviços gerais tornou a olhar a vítima que havia acabado de abraçar sem acreditar que pudesse ter se enganado. Como estava muito medicada, ela não se deu conta do equívoco. Só depois percebeu que aquela menina não estava com o uniforme da boate. Tratava-se de outra pessoa.

Ajudada por um policial, ela finalmente avistou Marfisa dentro do pavilhão vestida com a camisa da Kiss. Além dela, outros treze funcionários da boate morreram no incêndio.

* * *

No meio da tarde, a capitã Liliane atendeu um homem de estatura mediana que parecia carregar o mundo nas costas. Tratava-se do motorista autônomo Homero Pinto Bairro. Desde o início da manhã de domingo ele procurava por suas duas filhas. O motorista e a esposa, Celita Maria Pazini Bairro, estavam fora de Santa Maria quando souberam do ocorrido. Chegaram ao município por volta das onze horas e, antes de ir aos hospitais, passaram no apartamento da rua Venâncio Ayres, 2.180, onde morava Greicy, a filha mais nova. Eles estavam certos de que tudo ficaria bem quando abraçassem as gurias, mas, em casa, foram surpreendidos pela cama vazia. No imóvel, encontraram o vidro do perfume preferido dela, aberto sobre a pia do banheiro. Em seguida, vasculharam todos os leitos dos hospitais da cidade. Restava apenas o famigerado ginásio.

Antes de Homero entrar na quadra de esportes, Ita não aguentou o que viu no Farrezão. Desmaiou, precisando ser levada até uma das ambulâncias estacionadas no pátio para dar suporte às famílias. Enquanto ela era atendida, Homero prosseguiu com a busca por Greicy e sua irmã, Patrícia. Dentro do ginásio, ele olhou as mais de cem meninas, na esperança de não reconhecer nenhuma. Até que encontrou Patrícia.

— Eu preciso achar a outra — disse, comovido, a Liliane.

Não precisou ir longe. O motorista autônomo encontrou Greicy quase ao lado de Patrícia. Em estado de choque, não conseguiu esboçar reação. Mecanicamente, saiu em busca dos dois genros, constatando que também haviam falecido.

Em menos de dez minutos, Homero descobriu que ele e a esposa haviam perdido tudo o que possuía valor na vida que construíram juntos. Não tinham a menor ideia de como continuar sem as filhas.

* * *

Sentada na arquibancada do ginásio destinado aos familiares, a doceira Ligiane Righi da Silva teve a impressão de ter ouvido o anúncio de um nome conhecido. Depois de passar o dia no Hospital de Caridade, ela e o marido, Flávio, seguiram para o Farrezão quase no mesmo instante que Vanda, mãe de Vitória. O CDM era o local para onde ninguém queria ir, mas não restava nenhum outro onde Ligiane e Flávio pudessem procurar Andrielle, a filha que, ao lado de quatro amigas, tinha ido comemorar o aniversário de 22 anos na Kiss.

— Doca, para! — disse uma amiga de Ligiane, chamando-a pelo apelido. — Chega! Eu revirei tudo. Te juro pelos meus filhos, ela não está no Caridade.

A doceira achava um equívoco deixar o Hospital de Caridade, mas acabou cedendo aos apelos de amigos e parentes. Ela queria provar a eles que Andri, a filha que a tornara mãe aos 21 anos, não estava no ginásio. Ligiane se casara aos 19 e, dois anos depois, soube que esperava um bebê. Somente aos cinco meses de gestação ela teve a gravidez confirmada. Passou os últimos quatro meses afirmando para o marido que eles teriam uma guriazinha. Nesse período, viu a balança saltar dos cinquenta para os oitenta quilos, mas não ligava para o novo peso. Sua atenção estava voltada para a neném.

Andrielle reinou absoluta em casa até os 5 anos de idade, quando Gabi nasceu. Na adolescência, ela apelidou Gabi de "Seca", por ser mais alta e mais magra do que ela. Apesar da diferença de idade, as duas sempre se completaram, o que tranquilizava Ligiane, pois uma seria a companhia da outra no futuro.

A falta de notícias sobre a irmã, naquele domingo de luto, fez Gabi mergulhar em angústia. Aos 17 anos, a adolescente não sabia existir sem Andri, sua grande companheira. Quando ela voltasse para casa, ficaria um bom tempo sem discutir com ela, pensava. Mas já eram quase cinco da tarde e os pais ainda não tinham nenhuma informação sobre seu paradeiro.

Depois de passar quase duas horas na fila do complexo desportivo, Ligiane conseguiu entrar no pavilhão destinado às famílias. Agora, sentada na arquibancada, ela ouvia, atenta, o anúncio da listagem das pessoas hospitalizadas. Novamente, o nome de Andrielle foi chamado.

— O que vocês estão fazendo aqui? Sua filha está no hospital — disse o homem que fazia os chamados pelo microfone.

— Mas nós já fomos aos hospitais — insistiu Ligiane, sem entender o motivo de toda aquela confusão.

Enquanto ela esperava, Flávio procurava algum conhecido que pudesse levá-lo até os corpos. Não queria assustar Ligiane, mas não aguentava mais aguardar por notícias que não chegavam. Localizou um policial militar conhecido e pediu a ele que o ajudasse. Com o apoio do brigadiano, o prestador de serviços na área de construção civil conseguiu ter acesso ao ginásio.

Foi tomado de pavor ao perceber que uma das jovens da fileira feminina estava com um dos olhos vazado. Rogou então a Deus que, se encontrasse a filha, pudesse reconhecê-la. Continuou a andar por entre os corpos quando mirou, no fundo da quadra, uma menina parecida com Andrielle. Apressou o passo em sua direção, mas foi impedido por policiais civis que determinavam a saída dos familiares para a realização de uma nova coleta de material.

— Senhor, tem uma menina lá que eu acho que é minha filha.

— Por favor, vocês vão ter que sair agora — dizia o homem.

— Mas me deixe ir até lá — implorou Flávio, ainda mais nervoso.

Obrigado a deixar o ginásio, ele não sabia mais o que fazer. A imagem daquela jovem não saía de sua cabeça.

* * *

A consultora ótica Lívia Oliveira descobriu nas primeiras horas da manhã de domingo que o filho entrara em óbito no Hospital de Caridade. O reconhecimento do corpo fora feito pela sobrinha Bianca. Como outras mães, ela foi encaminhada para o Farrezão, onde estavam sendo realizados os procedimentos de liberação dos corpos e onde enfrentou uma dolorosa espera. Muita gente estava na mesma situação. Os nomes das vítimas eram lidos em voz alta, mas já haviam passado três listas e Heitor não aparecia em nenhuma.

— Bianca, minha filha, será que você não se enganou lá no Caridade? O nome do Heitor não está aqui.

— Tia, não me enganei — confirmou a moça, desolada.

O nome de Heitor só foi anunciado na quarta lista de óbitos. Ao ouvi-lo, Lívia tremeu:

— É, não tem mais volta — disse para a sobrinha, sem conseguir acreditar no que estava acontecendo em Santa Maria.

Para poupá-la, Bianca pediu à tia que se encaminhasse ao setor onde estavam as funerárias, enquanto ela entraria com a Polícia Militar para fazer o último reconhecimento do primo. A consultora ótica separou-se de Bianca, entrando por outra porta em um anexo. Lá, soube que o filho deveria ser velado em um caixão lacrado, uma determinação para todos os casos, já que se desconhecia a origem da toxicidade da fumaça inalada dentro da boate. Ao perceber que não conseguiria mais tocar no filho, decidiu comprar um caixão com visor.

— Quero escolher um caixão no qual possa, pelo menos, enxergar o rosto do meu filho — disse.

Nem a roupa que ela havia separado para o enterro de Heitor foi usada. Como o corpo dele era o segundo da fila masculina, Lívia pelo menos conseguiu comprar um caixão. Muitos pais não tiveram a mesma chance. No final da tarde de domingo, os caixões se esgotaram nas funerárias de Santa Maria.

Depois de finalizar a burocracia que daria ao filho único o direito de ser velado, a mãe de Heitor deixou o ginásio, avistando ao longe um semblante conhecido. Achava sua dor absurdamente grande, mas, ao mirar os olhos azuis daquele pai, foi tomada de profunda comoção. Na sua frente estava Sílvio Beuren, o dono da ótica onde ela trabalhava.

Pai de quatro filhos, Sílvio havia sido acordado em São Pedro do Sul com a notícia da morte de Heitor. Porém, ao chegar em Santa Maria para velar o corpo do filho de sua funcionária, fora surpreendido pela notícia de que Silvinho, o seu caçula, poderia estar entre as vítimas. A confirmação da morte dele, após 234 ligações de celular sem resposta, imprimiu na alma de Sílvio uma sensação de ausência brutal.

Penalizada com a dor daquele pai, ela se aproximou dele.

— Lívia, o que a vida nos aprontou — disse Sílvio.

Abraçados, os dois choraram copiosamente.

* * *

— Tia, tu tens uma foto do documento da Andrielle?

— Não, ficou no Hospital de Caridade. Para que tu queres uma foto dela? — perguntou Ligiane, assustada, para o marido da sua sobrinha Gisiliane Righi.

Ele não respondeu. Apenas se afastou da arquibancada do ginásio onde a família de Andrielle estava. A esposa foi atrás dele.

— Tia, vou ver o que o Rodrigo quer — afirmou Gisiliane.

Ao falar reservadamente com o marido, ela soube que uma pessoa parecida com Andri tinha sido vista dentro do ginásio. Eles precisavam tentar descobrir se era ela quem estava lá. Acompanhados de um policial militar, os sobrinhos de Ligiane foram até o corpo da vítima. Tiveram dúvida quanto à identidade dela.

— Por favor, a senhora pode passar um pano no rosto dela? — pediu Gisiliane à capitã da brigada, que também acompanhava o casal.

A prima de Andrielle levou um susto. Quando a fuligem foi tirada do rosto da jovem, o *piercing* que Andri usava no lado esquerdo do lábio ficou aparente.

— Tenho certeza! É ela — disse, sem saber como daria a notícia aos tios.

No pavilhão destinado aos familiares, Ligiane ouviu dois nomes conhecidos: Vitória Saccol e Flávia Torres Lemos. Sem entender em qual lista estava o nome das amigas de Andri, ela pediu ajuda a uma conhecida.

— O que está acontecendo?

— Tia, a Flavinha e a Vitória morreram — disse uma prima de Flavinha.

Ligiane desesperou-se ao recordar o que ela mesma havia dito: "Quando encontrarmos uma, encontraremos todas".

"Meu Deus, acabou. A Andri também está morta", deduziu Ligiane, sentindo-se mal. Atendida por uma enfermeira voluntária, a profissional constatou que ela estava com 22 de pressão. Um remédio foi colocado debaixo da língua de Ligiane, que insistia em ver a filha. Quando passou pela porta do pavilhão, porém, o sol a cegou. Desmaiada, Ligiane foi levada para uma ambulância. Acordou rodeada por amigos e familiares. O rosto deles denunciava a gravidade do momento. Virando-se para o irmão, ela perguntou:

— Sérgio, onde está a Andri?

O irmão de Ligiane começou a chorar:

— Doca — disse ele. — Ela está no céu.

Ligiane começou a gritar, tentando puxar os fios que a mantinham ligada a monitores. Foi contida por emergencistas.

Desesperado, Flávio voltou ao Ginásio Esportivo Professora Gisele Borin e dessa vez conseguiu entrar. Precisava tocar na filha. Quando finalmente conseguiu encontrá-la, ajoelhou-se, colocando Andrielle no colo. Impedido de continuar pelos policiais, começou a gritar:

— Preciso levá-la. É a minha filha! Minha filha!

VIII. Embarcando o filho

O especialista em tecnologia da informação Paulo Tadeu Nunes de Carvalho, 62 anos, e a professora de Educação Física Fátima Carvalho, 59, desembarcaram em Porto Alegre às cinco e meia da tarde de domingo. Saídos de Santo André, na região do Grande ABC, em São Paulo, eles estavam acompanhados do filho Daniel Carvalho, 34 anos, e de Darcy de Oliveira Vila, 68, irmã de Fátima. Haviam pegado um avião no Aeroporto de Guarulhos, a uma hora e meia de casa. Agora, desembarcados na capital gaúcha, os quatro precisavam chegar a Santa Maria o mais rápido possível.

Três dias antes, o casal havia se despedido do filho mais novo no mesmo Aeroporto de Guarulhos. Naquele 24 de janeiro de 2013, Rafael tinha um voo marcado para Porto Alegre, onde amigos o esperavam. No dia seguinte, comemoraria seu aniversário de 32 anos em Santa Maria, cidade que visitaria pela primeira vez. Seus pais o levaram ao portão de embarque, permanecendo ao lado dele até a chamada do voo. Após um longo abraço, viram Rafael ir embora e acenar, sorrindo, do outro lado da porta de vidro.

O administrador de empresas Rafael morou fora do Brasil por quatro anos, dois deles na Nova Zelândia, onde, em 2006, conheceu a santa-mariense Natália Greiff Macá, 21 anos, e o morador de Caxias do Sul Felipe Vieira, 20. Na ocasião, Natália estava namorando um colega de Rafael, tornando-se uma de suas melhores amigas. Os três chegaram a dividir apartamento no país da Oceania, e a amizade permaneceu intacta em solo brasileiro. Desde então, Rafael adotara Natália como irmã postiça. Ele se hospedaria na casa dela, em Santa Maria, e retornaria a São Paulo na manhã de segunda-feira. Felipe também se encontraria com eles lá.

Foi por causa do aniversário de Rafael na sexta-feira, dia 25 de janeiro, que seus pais ligaram para ele. Queriam cumprimentá-lo, desejando que continuasse feliz e aproveitasse aqueles dias no interior rio-grandense, que julgavam ser muito diferente do frenesi de São Paulo. Não sabiam, porém, que naquela cidade com população 41 vezes menor do que a da capital paulista havia uma agitada vida noturna, impulsionada pela presença de mais de 30 mil universitários.

— Filho, aproveite a vida — disse Paulo no final do telefonema.

Acostumado ao raciocínio lógico que o guiava em uma vida inteira dedicada ao trabalho com informática, Paulo viu todas as suas certezas desmoronarem quando foi avisado pelo comerciante Ananias Ávila da Silveira, 53 anos, pai de Natália, que a boate em que estavam Rafael, a filha dele, Felipe e mais uma amiga, Sibele Scaramussa, 27 anos, se incendiara na madrugada daquele domingo. Ananias contou que Natália fora internada em estado grave no Hospital de Caridade e que Sibele também fora resgatada com vida, mas que Rafael e Felipe ainda não haviam sido encontrados. Ananias, apesar de estar sozinho com a filha em Santa Maria, já que a esposa e a sogra haviam viajado para Santa Catarina, deixara Natália aos cuidados de amigos para procurar os jovens.

Paulo pressentia que algo grave tinha acontecido ao filho porque, mesmo fora do país, ele jamais deixara de dar notícias, principalmente em situações preocupantes. Quando morava na Nova Zelândia e na Austrália, por exemplo, sempre dava um jeito de telefonar e avisar que estava bem após a passagem de furacões ou tempestades. Se até aquele momento não havia entrado em contato, só restavam duas opções: estava inconsciente ou, pior, morto.

A notícia de que o corpo de Rafael fora reconhecido chegou a Paulo e Fátima quando eles ainda estavam no Aeroporto de Guarulhos, à espera do embarque para o Rio Grande do Sul. Ela perdeu as forças, caindo de joelhos, mas ele continuou com um fiozinho de esperança de encontrar seu caçula vivo. Nesse clima, Paulo, Fátima, Daniel e Darcy, que, além de tia, era madrinha de Rafael, entraram no avião. No aeroporto de Porto Alegre, eles alugaram um carro para seguir viagem. Era quase meia-noite quando chegaram a Santa Maria. Estavam completamente desorientados, sem saber como encontrar o tal ginásio para onde Ananias disse que Rafael tinha sido levado.

Dez dias antes, o próprio Paulo fora internado em razão de um acidente vascular cerebral. Corria risco de morte, mas conseguiu sair ileso após ser socorrido por Rafael, que o levou rapidamente até uma unidade de atendimento. Quando deixou o CTI e voltou para casa, Paulo viu uma mensagem do filho escrita a caneta Pilot no espelho do banheiro: "Amo vocês". Se o seu estado de saúde tivesse piorado em vez de melhorado, culpava-se Paulo, o filho não teria viajado para o Sul naquele fim de semana, teria preferido ficar ao lado dele. A ideia do "se" atormentou-o durante todo o trajeto. Queria muito trocar de lugar com o filho.

Já em Santa Maria, parado em um sinal de trânsito, Paulo pediu a um motociclista que lhe desse as coordenadas para chegar ao Farrezão. Tomou um susto com a resposta:

— Tu me sigas, que eu o levo até o ginásio. Eu perdi minha noiva na Kiss — revelou o rapaz.

Paulo não sabia o que dizer, afinal, mal conseguia lidar com a própria dor. Ainda assim ficou profundamente comovido com o gesto de solidariedade de alguém que, mesmo sofrendo, fora capaz de ajudar o outro. Ele seguiu o motociclista em um entra e sai de ruas iluminadas pelo vermelho das sirenes de diversas ambulâncias e viaturas policiais que circulavam por toda a cidade. O desconhecido deixou a família de Paulo a poucos metros do Centro Desportivo

Municipal. Quase dezesseis horas depois de lutar contra o silêncio, era hora de enfrentar a verdade.

Na ânsia de encontrar Rafael, e também Ananias, com quem mantiveram contato durante todo o domingo, Paulo, Fátima, Daniel e Darcy acabaram se perdendo um do outro em meio à multidão de voluntários, familiares e repórteres de todas as partes do país e do mundo, atraídos pelo incêndio que ficaria internacionalmente conhecido como o terceiro maior do planeta em número de vítimas.

Logo ao entrar no Farrezão, Paulo apresentou-se como pai de Rafael, sendo abraçado por muitos desconhecidos. Naquele momento, porém, seu coração estava estilhaçado. Nada fazia sentido, a não ser confirmar se o seu filho era realmente uma das vítimas da tragédia. Pelo celular, avisou a Ananias que já estava no complexo, sendo, finalmente, localizado pelo pai de Natália.

O comerciante, aliás, ficara ao lado do corpo do filho mais novo de Paulo desde que ele fora identificado, mesmo diante do estado de Natália, que precisou ser transferida de avião para Porto Alegre, onde entrou em coma. Exatamente por ser pai, ele compreendia o sentimento de Paulo e de Fátima.

— Ele está aqui, ele está aqui — acenavam Daniel, Paulo, Darcy e Ananias para Fátima, que estava em outra ponta do complexo.

Fátima os viu e começou a caminhar em sua direção, logo percebendo que havia um carro funerário aberto com um caixão dentro ao lado deles. Ao chegar perto do grupo, ela ficou sabendo que era Rafael quem estava naquele carro. Em seguida, Ananias dirigiu-se aos funcionários da funerária:

— Ele não pode ser levado daqui assim. Por favor, eles precisam ver o filho.

Atendendo ao pedido do comerciante, o caixão foi retirado do carro. Carregado para o anexo do pavilhão onde os corpos eram reconhecidos, foi posicionado sobre dois cavaletes. Os parafusos começaram então a ser retirados. Os funcionários se afastaram, deixando a família sozinha. A tampa da urna funerária foi aberta e Paulo e Fátima entraram em desespero. O filho caçula estava ali. Apesar da cena desoladora, os pais de Rafael tiveram a impressão de que ele estava apenas dormindo. E queriam muito que ele pudesse acordar, um desejo comum a todas aquelas famílias.

Rafael tinha um pequeno ferimento no nariz e também um corte superficial na testa. Fátima abraçou-o dilacerada por ter ficado longe dele no momento crucial de sua existência. Durante os 32 anos de vida de Rafael, ela fizera tudo para protegê-lo, para que ele se sentisse amado até nos instantes em que se considerava preenchido com suas coisas de menino. Quando chegava com Rafael e Daniel da escola estadual onde dava aula para adolescentes, Fátima sentava-se no chão para brincar com os filhos, na tentativa de demonstrar que sempre estaria por perto se eles precisassem.

No período em que Rafael mudou-se para a Nova Zelândia, aos 25 anos, ela cruzou o oceano para estar com ele e apoiá-lo na difícil decisão de transformar um intercâmbio de quatro meses em uma experiência de vida que durou quatro longos anos. Ali, naquele ginásio, a educadora física aposentada pensava que não tinha estado ao lado de Rafael para ajudá-lo quando ele mais precisara dela, e isso a machucava ainda mais. Teria dado a própria vida para garantir a dele, repetia, enquanto as lágrimas lavavam seu rosto.

— Não é possível que uma coisa dessas tenha acontecido ao Rafa. É a coisa mais triste da minha vida — gritava Daniel, desorientado.

Dois anos e três meses mais velho do que Rafael, Daniel chutava as paredes de tijolos brancos daquele lugar provisoriamente transformado em necrotério, mas que se assemelhava a um depósito de material esportivo. No mesmo cômodo, o corpo de Felipe aguardava para ser removido.

Inconsolável, a madrinha de Rafael tocava o corpo dele para ter certeza de que estava intacto. Ananias, que vestiu nele um terno que era seu, continuava desolado. Assistia a tudo impotente, parecia estar em carne viva. Sentiu na pele o sofrimento daquela família. Fez por Fátima e Paulo tudo o que estava a seu alcance para garantir a liberação do jovem. Não queria que os pais vissem o corpo do rapaz coberto por fuligem. Ele mesmo tratou de ajudar a limpá-lo. O seu gesto de profunda humanidade não foi em vão. Ananias, o irmão que Paulo ganhou no Sul, tornou-se, para os pais de Rafa, um exemplo de compaixão. Olhando para Rafael e Felipe, que também morreu, Ananias sabia que, por pouco, poderia estar no lugar daquelas famílias. Sua filha, contudo, sobreviveria, apesar da gravidade de seu caso.

* * *

Embora Ananias tenha agilizado o processo de liberação do corpo de Rafael, levá-lo para casa exigiria mais do que os pais dele julgavam ser capazes de suportar. Além de caros — cerca de R$ 5 mil —, os trâmites para o transporte da urna tornaram aquele momento mais sofrido, se é que isso era possível. De madrugada, no cartório de Santa Maria, Paulo já não tinha forças. Foi a esposa quem tomou a frente de tudo:

— Como você consegue? — perguntou o marido a Fátima.

— Ele teria feito a mesma coisa por mim — respondeu ela.

Logo o casal descobriu que Rafael, o garoto que usava alfinetes para marcar no globo terrestre os quinze países pelos quais já passara, precisaria ser levado de carro até Canoas, onde teria seu corpo preparado para a viagem de volta a São Paulo. Depois disso, seria necessário encontrar um voo comercial no qual ele pudesse ser colocado.

A professora de Educação Física e o marido esperaram no Aeroporto Salgado Filho, em Porto Alegre, pela chegada do corpo. Depois, Fátima seguiu sozinha com ele, no carro funerário, até o setor específico para o embarque de cargas, num prédio distante dos outros. Viu pessoas esperando na fila com caixas que seriam despachadas no voo. Levada para o guichê, ela assinou o documento que garantiria a viagem de Rafael no bagageiro do avião, mas em compartimento separado. O caixão do filho morto iria próximo à esteira das mercadorias.

Chorando muito, Fátima dirigiu-se às funcionárias da companhia aérea:

— Cuidem bem do meu filho. Protejam-no. Ele vai ficar aqui com vocês — suplicava.

Ninguém conseguiu dizer nada. Os membros da companhia apenas choraram. Antes de ser levada dali, Fátima se aproximou da urna funerária.

— Rafa, estou com você. Vou para o aeroporto agora. A gente se vê lá em São Paulo.

Após deixar Rafael, Fátima cruzou novamente a pista do aeroporto para encontrar-se com Paulo. Ela embarcaria com a irmã, o marido e Daniel em outro voo. Apesar de continuar de pé, Fátima parecia arrastar-se. Sentia que uma parte dela tinha morrido com Rafael.

* * *

As quase duas horas de voo que separam Porto Alegre de São Paulo foram duríssimas. Para a família de Rafael, o tempo parou naquele ginásio onde ele foi encontrado sem vida. Como ressignificar toda uma existência? Exausto, Paulo parecia ter ganhado vinte anos em poucas horas. Estava alquebrado, dividido ao meio. Não sabia como se juntar. Desejava fugir dali, buscar o filho vivo na sua caixa de memórias. Ao abri-la, ele se lembrou de como se sentira na viagem mais especial que ele e Fátima haviam feito ao lado de Rafael e Daniel, em 1996. Juntos, eles passaram 33 dias na Europa. Na época, os filhos adolescentes acompanharam Paulo na realização do sonho de conhecer a terra natal do avô, o italiano Giovanni Lasco. Movido pela saudade que Giovanni sentia de suas raízes, o neto quis homenagear o avô falecido viajando para Viggiano, na região de Basilicata, sul da Itália.

Com os filhos e a mulher, ele desembarcou no pequeno povoado sem saber por onde começar a procurar informações sobre seus antepassados. Teve a ideia de ir até o Corridoio di città, a prefeitura de Viggiano, mesmo local onde fica o cartório do povoado. Lá, apresentou-se como membro da família Lasca, que na Itália é conhecida como Lasco, citando o nome do avô em bom italiano, língua que a família de Paulo não entendia. Uma mulher que acompanhava a conversa disse, eufórica, que era prima do brasileiro e que Giovanni era irmão de Giuseppe, o avô dela. Logo, logo a notícia sobre os parentes estrangeiros varreu a vila, atraindo familiares de várias localidades.

Durante o encontro, que mais tarde foi regado a massa e vinho, Paulo ficou sabendo de toda a vida do avô naquele lugar até os 18 anos de idade, tendo acesso às cartas escritas por ele do Brasil para a família no exterior. Soube também que a casa em que Giuseppe tinha morado fora comprada com o dinheiro que o avô mandava do Brasil, na esperança de juntar a família de novo. Sem conseguir embarcar, por conta da Imigração, Giuseppe usou o dinheiro para comprar um pedaço de chão, no qual foi erguida uma vinícola, lugar onde os brasileiros emendaram o almoço com o jantar.

Paulo conseguiu enxergar Rafael, então com 15 anos, ao lado de Daniel, com 16, divertindo-se com os primos italianos da mesma idade em um dos dias mais felizes de sua vida. Na despedida, a matriarca da família Lasco abraçou Paulo, falando sobre as voltas que o mundo dá:

— *O giro del mondo*.

Já o médico Giuseppe, primo de Paulo, acrescentou:

— *Sangue non è acqua* [sangue não é água] — disse, tocando carinhosamente em seu braço.

Envolvido naquelas lembranças, Paulo parecia sentir o toque do parente distante, quase a confortá-lo. De volta à realidade, na segunda-feira mais dolorosa de sua vida, o especialista em tecnologia da informação desembarcou no Aeroporto de Congonhas, na capital paulista, abraçado a Fátima e Daniel. Darcy continuava ao lado deles. Não eram mais os mesmos de quatro dias antes, quando embarcaram Rafael para o Rio Grande do Sul.

Ao cruzarem o portão do desembarque, eles foram surpreendidos por parentes e amigos. Mais de trinta pessoas vieram recebê-los no saguão. Um amigo de Rafael que passava férias no Chile interrompeu a viagem e enfrentou uma maratona de conexões para chegar a São Paulo junto com a urna funerária. Outra amiga viera de Natal, no Rio Grande do Norte, a fim de despedir-se do jovem que sonhava conhecer o mundo inteiro. Por mais que os pais de Rafael se sentissem perdidos, descobrir o quanto o filho era querido ajudaria a resgatá-los do abismo no qual estavam mergulhados.

IX. Penúltimo ato

Quando Maria Aparecida Neves, 53 anos, abriu uma das seis portas do armário castanho-claro, no quarto da casa de madeira da Vila São João Batista, precisou reunir coragem para fazer a escolha mais difícil de sua vida: definir a roupa que o filho vestiria pela última vez. Dezenove anos antes, coubera a ela um gesto semelhante: separar o que Augusto usaria não após sua morte, mas após seu renascimento.

Abandonado pela mãe biológica na Casa de Saúde em 1993, o recém-nascido precisava de um lar, e Cida necessitava, desesperadamente, do filho que seu útero não podia gerar. Ao se candidatar à adoção de uma criança negra, como ela e o marido, a então balconista não enfrentou dificuldades para ser acionada pelo Fórum de Santa Maria, já que a cor branca continua sendo prioridade para os cerca de 6 mil candidatos à adoção no Brasil. Quando viu o bebê pela primeira vez, na maternidade do hospital — ele usava uma calça plástica feita com saco de açúcar cristal —, Cida já estava inundada de amor. No sábado em que mãe e filho foram apresentados, ela o salvou do abandono. Já Augusto a salvou de si mesma, pois a balconista não suportava mais uma casa vazia, sem ver uma criança crescendo ali.

Augusto chegou tão rápido na vida dela e do marido, César Augusto Madruga Neves, 51 anos, que eles tiveram que comprar, em um fim de semana, tudo o que as famílias levam quase nove meses para juntar: berço de madeira cerejeira, banheira e carrinho, das Lojas Colombo, além de cobertor, lençol azul e amarelo, bico e roupas, muitas roupas. E foi em uma quarta-feira daquele ano que o filho de Cida e César deixou a Casa de Saúde vestido com um macacão amarelo e branco, touca e mantilha branca bordada, as primeiras peças usadas pelo menino de 49 centímetros e pouco mais de três quilos.

Quando os dois voltaram para casa em três, a família inteira esperava pelo novo membro. Recebido com festa, Augusto ganhou não só um espaço no quarto de seus pais, mas uma nova chance de viver. No momento em que eles entraram pela porta do imóvel pintado com tinta azul, Cida sentiu-se verdadeiramente mãe. Marinheira de primeira viagem, no entanto, a balconista teve que aprender a cuidar de bebê.

— O doutor disse pra gente dar o leite de três em três horas — explicou Cida para sua mãe, com quem morava.

— Esse doutor não sabe de nada. Criança tem fome, tem que mamar a hora que quiser — retrucou a idosa, que não era versada nas letras, mas entendia de choro de menino.

Com a mãe e a avó por perto, Augusto cresceu em um ambiente rodeado de afeto. Seu pai trabalhava como pintor e recebia semanalmente, por produção. Mesmo com pouco dinheiro, César jamais voltava para casa sem alguma coisa para o filho. Todas as conquistas da família giravam em torno da criança. A casa pulsava.

Com pouco estudo, os pais de Augusto queriam garantir a ele um futuro com mais oportunidades. Mesmo que para isso tivessem que sacrificar a rotina doméstica em prol de sua formação, iniciada na Escola Adventista. Apaixonado pelo violão que ganhara de Cida, pago com o dinheiro de uma indenização que ela recebera no final de um contrato de emprego, ele tocava no grupo jovem de uma igreja evangélica que frequentava por influência dos pais.

Quando passou no vestibular, aos 17 anos, o adolescente encheu de orgulho o pai, que só conseguira cursar até a quinta série ginasial. Para mantê-lo na Faculdade de Ciência da Computação no Centro Universitário Franciscano, cuja mensalidade chegava a quase um salário mínimo, a mãe de Augusto precisou voltar para o mercado de trabalho. Arranjou emprego como doméstica.

— Tu vais para Unifra e lá tu vais ter colegas pobres como nós ou talvez mais pobres do que nós. Mas também vais conviver com gente muito rica. Não te faltará nada, filho, no entanto, tu vais ter que viver dentro do que a gente pode te dar — avisou Cida, preocupada.

No fundo, ela sabia que manter Augusto na faculdade particular exigiria sacrifício extra para a família, mas Cida e

César não se importavam. Queriam oferecer as ferramentas para que ele pudesse se tornar independente e dar passos mais largos do que eles. Em dezembro de 2012, Augusto conseguiu seu primeiro voo solo. Passou na Universidade Federal de Santa Maria, uma das públicas mais cobiçadas do país. Ele se formaria em dezembro de 2017 em Ciência da Computação.

A aprovação na UFSM era um dos sonhos de Augusto. Aos 19 anos, começava a realizá-los. Além da faculdade, ele fazia estágio na própria universidade e investia parte de seu tempo livre no Clube Recreativo Dores, onde tinha se matriculado para aprender a dançar. Cida desconfiou que ele estivesse apaixonado e quisesse impressionar a eleita. No sábado, dia 26 de janeiro de 2013, depois de almoçar, o filho quis mostrar-lhe os passos novos que aprendera. Tirou-a para dançar na cozinha de casa. Rodopiou com ela sobre o piso de azulejo marrom e chegou a pisar no seu pé, mas Cida não disse nada. Fingindo não ter notado, incentivou-o a continuar.

À noite, após sair do aniversário do vizinho, Augusto passou em casa, abrindo o armário de mogno do quarto para escolher uma camisa. Vestiu uma polo azul royal com listras brancas e calça jeans. Um dia antes, ele já havia avisado ao pai que iria a uma festa universitária na Kiss. A festa, intitulada Agromerados, era organizada por acadêmicos dos cursos de Agronomia, Medicina Veterinária, Tecnologia de Alimentos, Zootecnia, Tecnologia em Agronegócio e Pedagogia da UFSM. Os ingressos saíam a R$ 15 por pessoa.

— Te preparas, Cida, porque o Augusto vai sair amanhã — alertou César, sabendo que a esposa não reagiria bem à notícia.

Evangélica, ela considerava o programa mundano demais. Augusto, no entanto, estava descobrindo a juventude, queria ser aceito em um novo círculo. Ao contrário da mãe, ele achava que a ida à boate não era nenhum pecado. Ela ainda tentou convencê-lo a ficar:

— Tu sabes que eu não gosto que vás em boate. Por que tu não ficas na festa de aniversário do teu amigo? Lá, não vais gastar nada.

— Mãe, nós já conversamos sobre isso. Está tudo bem — disse o jovem, abrindo a porta de casa.

Sentada em frente à TV, Cida tornou a chamar Augusto.

— Tu não me saias sem documento, porque até tu provares que focinho de porco não é tomada, tu já tomaste pau — avisou a mãe.

Augusto deu risada.

— Os meus documentos estão aqui, mãe, olha só — disse, abrindo a carteira.

— Tu tens dinheiro, filho?

— Tenho, mãe — respondeu Augusto, cruzando a porta.

César acompanhou o filho até o portão:

— Tchau, meu filho, vai com Deus. Te cuida. Qualquer coisa, liga para o pai.

O pintor continuou no portão enquanto o filho se afastava. Ficou um tempo lá fora observando a lua cheia e ouvindo o barulho do silêncio, que seria quebrado naquela terrível madrugada de domingo.

Quando Augusto foi resgatado de dentro da Kiss, o documento de identidade encontrado na carteira não deixava dúvidas: o filho de 19 anos que a vida encaminhara para César e Cida estava morto.

Diante do armário do jovem, a dona de casa pensava em como vestir o menino que ela havia amado desde o primeiro instante em que o viu. Ao separar o terno preto e a camisa branca que seriam usados pelo filho em seu enterro, Cida não sabia como dizer adeus.

* * *

Na casa de Marise Dias, 49 anos, o gesto se repetiu. Foi ela quem separou a bombacha preferida do filho único, Lucas Dias de Oliveira, 20 anos. Amante das tradições gaúchas, ele se dizia um maragato, nome atribuído aos sulistas que deram início à Revolução Federalista no Rio Grande do Sul, em 1893. Além do traje típico, também o lenço vermelho, as botas de montaria e o chapéu preto eram companhias inseparáveis do rapaz durante as gineteadas, competições disputadas no lombo de cavalos que ainda não tinham sido domados. Sem medo da peleia, ele adorava disputar os rodeios no município Júlio de Castilhos. Sonhava participar do Freio de Ouro, o rodeio internacional do Cone Sul mais famoso do estado.

Lucas aprendeu a cuidar de cavalos na adolescência. Um amigo era proprietário de uma hospedaria, onde ele passou a ajudar no trato dos animais. Filho de uma família modesta — a mãe era dona de casa e o pai trabalhava por temporada em quiosques de praia durante o verão —, Lucas aprendeu a viver com pouco, mas sempre alimentou grandes sonhos. Desejava trabalhar no campo, por isso inscreveu-se no curso de Inseminação de Gado, em Rosário do Sul. O início das aulas estava marcado para março de 2013, mas o incêndio na Kiss pôs fim a seus projetos e ao romance que havia iniciado com a bela Yasmim Müller, a prenda por quem estava apaixonado.

Os dois se conheceram na Casa do Gaúcho, em 2012, a loja mais conhecida de Santa Maria, que vende de indumentária dos pampas a equipamento de selaria. Contratado para uma vaga temporária, Lucas se encantou pela colega de trabalho e logo eles começaram a namorar. A primeira vez que usou gravata foi ao lado dela, quando acompanhou a estudante de Zootecnia da UFSM a uma formatura em São Pedro do Sul, cidadezinha onde Yasmin morava. O filho de Marise arrumou uma função para conseguir a tal roupa social, pois queria impressionar a jovem. Juntos, eles comemoraram a chegada de 2013 cheios de planos para o futuro. Ele retomaria os estudos, interrompidos no ensino médio, e investiria no desejo de trabalhar no campo.

Naquele último sábado de janeiro de 2013, Lucas passou o dia inteiro na montaria, com Yasmin. Quando chegaram em casa, no bairro Perpétuo Socorro, o sol já tinha se posto. Ele encontrou a mãe na porta do banheiro. Ela estava com um vestido floral colorido e as madeixas soltas. Lucas sempre adorou os longos cabelos ruivos da mãe. A única vez que ela os cortou, brigou com ela.

—Veia, vamos fazer uma pizza porque os guris vão vir depois comer. Tu me ajudas?

Marise estava doida para assistir à novela das nove, mas não teve coragem de negar um pedido do filho. A dona de casa se preparava para ensinar a receita a Lucas, quando ele passou a função para ela:

— Então, tu fazes a massa?

A mãe atendeu ao pedido, e ambos montaram três discos com recheios variados. Os amigos, porém, não provaram as pizzas. Quando chegaram para buscar o casal, alegaram ter comido um X, como os gaúchos chamam os sanduíches feitos com bife de hambúrguer.

Enquanto Lucas se arrumava para seguir com eles para a balada, Yasmin permaneceu na sala da casa do namorado, na companhia da sogra. Aproveitou a demora dele no banho para fazer, ela mesma, suas unhas. Como era uma noite especial, na qual ela comemoraria seu aniversário de 19 anos, decidiu pintá-las de vermelho. A cor contrastava com o vestido branco de renda, que ela já tinha usado no réveillon, e as sandálias douradas de salto alto que acabara de comprar.

O namorado chegou a cogitar usar sua bombacha, mas os amigos disseram que na Kiss ninguém estaria vestido assim. Lucas então colocou calça jeans usada, uma camisa branca e botinas marrons. Passou gel nos cabelos crespos para garantir o efeito molhado de que tanto gostava. Depois de pronto, apareceu na sala:

— E aí, veia? Como estou?

— Lindo como sempre — disse Marise, rindo.

Quando Lucas e Yasmin se despediram, o relógio da sala marcava quase meia-noite. Marise continuou assistindo à televisão sozinha no sofá. Seu marido, Natalício Soares, 53 anos, estava trabalhando em Capão da Canoa, no balneário Camboriú, de onde só voltaria no final da temporada.

A notícia do incêndio, porém, o alcançou na manhã de domingo. Ao dar as boas-vindas a uma família gaúcha que acabava de chegar ao quiosque da praia catarinense, os clientes contaram ao funcionário sobre a tragédia em Santa Maria. Aflito, Natalício procurou o celular na mochila, a fim de telefonar para casa. Ao pegar o aparelho, percebeu que Marise já tinha tentado falar com ele diversas vezes:

— Bah, tu não atendes ao telefone — disse a esposa, desesperada.

— O que foi? — perguntou, a 415 quilômetros de distância.

— A tal Kiss pegou fogo.

— Mas nosso filho não estava lá, né?

— O Lucas foi. Era aniversário da Yasmin, e ele foi. Eu preciso que tu venhas agora para cá. Dá um jeito, aluga um carro, pede emprestado...

— Mas ele está vivo? — questionou o marido.

— Eu não sei — respondeu a esposa.

Quando a conversa foi encerrada, o pai já não sentia a presença física do filho. Um mês antes do episódio da Kiss, Lucas lhe telefonara num fim de tarde, surpreendendo Natalício quando ele se preparava para o terceiro turno de trabalho como garçom em uma pizzaria em Capão da Canoa.

— Pai...

— Olá, filho, tudo bem?

— Tudo bem, pai. Eu quero agradecer tudo o que tu e a mãe fizeram por mim.

Natalício estranhou o tom solene.

— Ué, mas por que tu estás dizendo isso?

— Não dá bola, pai. Só queria dizer.

Por um momento, ele sentiu que iria perdê-lo. Não sabia como nem quando.

Yasmim foi encontrada na manhã de domingo na Unidade de Pronto-Atendimento de Perpétuo Socorro, uma das duas UPAs de Santa Maria. Com os pés descalços e sem ferimentos, ela chorava muito. Durante o tumulto na boate, Lucas ficara para trás.

Naquele domingo de dor e calor sufocantes, coube a Marise realizar o último desejo manifestado pelo filho na véspera de sua morte: vesti-lo com a bombacha gaúcha e o lenço vermelho de maragato.

* * *

Marta Beuren também fez questão de separar as peças de roupa que Silvinho usaria naquela surpreendente noite de despedidas. Horas antes, quando a morte do filho foi confirmada pelo pai dele, o irmão médico e a nora, a professora aposentada havia pensado que enlouqueceria. Em uma explosão de sentimentos, começou a correr pelo amplo imóvel de dois andares do bairro Nossa Senhora de Lourdes, mas não encontrava as saídas. Tinha a sensação de que a casa a trancava e de que era pequena demais para carregar o tamanho de sua dor. Desejava fugir, afastar-se dali e de si mesma. Não suportava o que estava sentindo. Descontrolada, arrancou as pulseiras, os anéis, os brincos... Queria se livrar de tudo, despir-se de sua individualidade, não existir naquele momento. Como conviver com a ausência do filho? Ela não sabia.

Apesar do forte impacto, Marta não quis delegar a ninguém a árdua tarefa que impôs a si mesma. Tinha um estranho sentimento de posse, pois se sentia a única pessoa capaz de saber do que o filho gostava. O cheiro de Silvinho estava no quarto e nas roupas do armário. Marta passou as mãos pelas camisas dele como se, ao tocá-las, pudesse acariciá-lo. Escolheu uma de manga comprida de botão listrada de vermelho e branco e a calça jeans com que havia presenteado o caçula, em dezembro de 2012, na comemoração de seu aniversário de 31 anos.

Entregou a roupa de Silvinho para ser levada ao Farrezão. Embora estivesse sem o filho havia poucas horas, a saudade que sentia não cabia em lugar nenhum, muito menos dentro dela.

X. Com choro e sem vela

Apesar de quinze dos 32 municípios que integram a microrregião de Santa Maria terem sido afetados pelas mortes no incêndio, a tragédia na Kiss acertou em cheio o Coração do Rio Grande, já que mais de cem das 233 vítimas iniciais eram santa-marienses. Outras nove morreriam depois nos hospitais de Porto Alegre, atingindo o número de 242. Dizer que ninguém estava preparado para um evento dessa natureza é mais do que um jogo de palavras, é uma afirmação literal.

Para além do desastre cuja dor coletiva parou o Brasil na semana que se seguiu ao episódio, existia um drama gigantesco de uma comunidade que viu faltar caixão, vela, flor e cova para os seus entes queridos. A quantidade de mortes dentro da boate obrigou as famílias a ter de lutar muito pelo direito básico de velar seus mortos. Na corrida contra o tempo e na falta de local para os funerais, os familiares das vítimas testemunharam o melhor e o pior do ser humano em uma noite em que até a água mineral esgotou na cidade, apesar do mutirão feito por moradores, que distribuíram espontaneamente comida e suco na área do Farrezão.

Como se não bastasse a devastação emocional, todos os que perderam alguém naquela madrugada precisaram enfrentar um mercado funerário inflacionado pela inesperada demanda. A morte, em Santa Maria, tinha preço. E o pacote funeral naquela situação podia chegar a mais de R$ 10 mil.

Ao lado do ex-marido, Ildo, Vanda Dacorso precisava lidar com os trâmites do enterro de Vitória. Catorze horas antes, a própria jovem fornecera, no Hospital de Caridade, o nome dela e das três amigas levadas com vida para a unidade de atendimento. Logo após a identificação, ela foi entubada, falecendo em seguida. Com sua súbita morte, pois a jovem chegou conversando à unidade, e a morte de suas amigas, os funcionários não se deram conta de que seria preciso retirar o nome delas da lista de sobreviventes. Por isso, quatro das cinco jovens continuaram constando do grupo de pessoas em atendimento durante todo o domingo, um equívoco que se estendeu até as quatro horas da tarde.

Se a constatação da morte da filha caçula já era um martírio, Vanda ainda teria que enfrentar o comércio da tragédia. Na funerária, ela encontrou apenas três tipos de caixão disponíveis. O primeiro custava R$ 6 mil; o segundo, R$ 1.800; e o último, R$ 2.800. Ildo sugeriu que comprassem o de valor intermediário. Vanda não permitiu:

— Nem pensar. Qual a diferença entre um e outro?

Diante do olhar de recriminação do funcionário, ela não se conteve:

— Meu filho, se houvesse uma urna de ouro e ela trouxesse a minha filha de volta, eu já teria comprado. Mas nada disso fará com que ela viva novamente. Vocês são um bando de exploradores — desabafou, embora soubesse que a responsabilidade por aqueles preços aviltantes não era do empregado, mas de seu empregador.

Após comprar o caixão de R$ 1.800, Vanda precisava encontrar um lugar para velar a filha. Uma "carneira" (túmulo) nova saía por R$ 6.500. Embora a prefeitura tivesse disponibilizado o ginásio do Centro Desportivo Municipal para a realização de velórios coletivos, ela não queria que Vitória ficasse naquele lugar nem mais um minuto.

Os pais de Andrielle também não. Flávio e Ligiane só conseguiram comprar uma urna porque um cunhado da doceira já tinha trabalhado em uma funerária e recorreu à ajuda de amigos. Foi ele próprio quem colocou a sobrinha no caixão, transportando-o em um carro particular.

* * *

O motorista autônomo Homero Pinto de Bairro, que perdeu as duas filhas e os dois genros, só conseguiu comprar um caixão, embora precisasse de dois. Sem urnas funerárias disponíveis, ele não tinha certeza de que Greicy seria enterrada junto com Patrícia. Esperou mais de quatro horas pela chegada de novos caixões na cidade. Passava das nove da noite de domingo quando ele tirou as meninas do ginásio. Elas e Vandelcork

Júnior, o marido de Patrícia, acabaram sendo velados em um Centro de Tradições Gaúchas (CTG), em Camobi. O namorado de Greicy, Hélio, que estudava em São Paulo, era natural de Manoel Viana, por isso foi levado pelo pai para sua cidade natal.

À meia-noite, os corpos das filhas e do genro de Homero precisaram ser retirados do CTG, porque o espaço havia sido cedido apenas informalmente por um conhecido das famílias. Sem autorização oficial, os três caixões tiveram de ser removidos para uma igreja do bairro.

* * *

Vitória foi velada no Colégio Santa Maria, que liberou o salão da escola para a despedida. Foi uma conhecida do pai dela que intermediou a cessão do espaço.

— Se vocês quiserem, tem lugar lá para ela — afirmou uma professora do colégio que não tinha intimidade com a família de Vitória.

A professora, como boa parte dos moradores da cidade, estava envolvida na rede de solidariedade que cobriu Santa Maria, onde se incluíram os taxistas, que desde as primeiras horas da madrugada ajudaram a socorrer as vítimas, além de fazerem corridas de graça transportando familiares durante todo o domingo.

Na madrugada de segunda-feira, no velório da filha, Vanda recebeu um recado:

— A Ligiane está atrás de ti. Ela veio aqui se despedir da Vitória, mas passou mal e foi embora. Quer te ver.

— Quem é Ligiane? — perguntou Vanda, atordoada.

— A mãe da Andri — disse um conhecido.

Ao recordar-se de Andrielle, Vanda sentiu um novo baque. Só naquele momento ela se deu conta de que as amigas da filha também tinham morrido. Foi então que atravessou a cidade em direção à igreja São Marcos, no bairro João Goulart, onde Flavinha e Andri estavam sendo veladas. Quando entrou no salão e viu os dois caixões, pensou que não tinha perdido só Vitória, mas as filhas postiças, já que as meninas também compartilhavam com Vanda seus segredos, experiências e desejos.

Ao lado do caixão de Andrielle, Ligiane conversava com ela:

— Filha, acorda — pedia.

Ligiane alternava momentos de lucidez com outros em que se mostrava completamente desconectada da realidade. Apesar do seu estado emocional, fez questão de ir ao velório das amigas que morreram ao lado de Andri. Só não conseguiu despedir-se de Mirela Rosa da Cruz, que foi velada ao lado do irmão, José Manuel, os dois filhos da professora da rede municipal Helena Rosa da Cruz e do motorista Delçon da Cruz. Dois anos depois do incêndio na Kiss, a mãe dos garotos não resistiria ao agravamento de sua saúde e faleceria no hospital. A família se reduziria a uma única pessoa: Delçon.

Das cinco gurias que foram juntas à boate, Gilmara era a única que estava com o caixão fechado no salão paroquial da igreja do Rosário. Foi Gilzélia, a mãe dela, quem recebeu Ligiane e o marido, Flávio.

— Ligi, a Gilmara não está como a Andri, a Vitória e a Flavinha estão. Eu prefiro guardar a lembrança do rostinho dela como era — explicou a mãe, justificando o fechamento da urna.

Ligiane e Flávio abraçaram Gilzélia. Já estavam deixando o velório quando a mãe de Gilmara afirmou:

— A Gilmara deixou um beijo pra vocês.

— Sinta-se beijada também, Gilmara — respondeu Ligiane, surpresa.

* * *

Lucas Dias, o filho de Marise e Natalício, foi velado no próprio Farrezão, mas as despesas do velório foram custeadas pela família, ao contrário da maioria dos velórios no ginásio, bancados pela prefeitura. Além dos amigos e familiares, uma multidão compareceu ao Centro Desportivo Municipal. Muitos desconhecidos queriam demonstrar apoio, porém havia outros movidos apenas pela curiosidade. Por causa disso, Marise chegou a cobrir com um lenço o visor de vidro que deixava o rosto do filho à mostra. Não queria que ele fosse alvo de qualquer tipo de especulação. Em cima do caixão dele, os pais colocaram seu chapéu preto favorito e a bandeira do Rio Grande do Sul, que para Lucas não era apenas um símbolo, e sim um manto.

Yasmim Müller, namorada de Lucas e sobrevivente da Kiss, ficou o tempo todo ao lado do caixão. Muito emocionada, pôs o chapéu preto na cabeça, apoiando o rosto entre as mãos em cima da urna funerária. Fotografada por jornalistas que estavam no ginásio, a imagem dela acabou estampando a capa da revista *Veja* no dia 6 de fevereiro. O veículo foi alvo de críticas em todo o país. Os leitores acusaram a revista de ter usado uma modelo na foto, citando como "prova" as mãos da jovem, cujas unhas estavam pintadas de vermelho. Foi Yasmim quem, 24 horas antes de chorar sobre o corpo de Lucas, fizera as próprias unhas na casa de Marise para comemorar o seu aniversário na boate.

Já era madrugada de segunda-feira quando Marise notou que do nariz do filho escorria sangue e também um líquido preto. A limpeza do rosto dele fora feita por funcionários de uma empresa com a qual a família mantinha um plano funerário, mas, poucas horas após o trabalho, o corpo de Lucas já exalava um forte odor. A cidade inteira parecia estar impregnada daquele cheiro. Penalizados diante da exposição de Lucas, seus pais decidiram fechar a janela do caixão, que depois foi lacrado. Antes de enterrar o filho, Marise cantou a música preferida dela: "Nem mesmo o céu nem as estrelas,/ nem mesmo o mar e o infinito,/ nada é maior que o meu amor,/ nem mais bonito". Marise não conseguiu chorar naquele momento nem terminar de cantar a música de Roberto Carlos. Seus olhos transbordavam de tristeza. Sentia-se completamente vazia.

* * *

Augusto, filho de César e Cida, foi velado na igreja Quadrangular. No momento em que a notícia do desaparecimento dele chegou ao conhecimento dos pastores da igreja frequentada pela família, na madrugada de domingo, os pais do universitário receberam muito apoio dos amigos. Mas, ao longo do dia, quando a dimensão da tragédia foi sendo desenhada, crenças religiosas passaram a ocupar o espaço da razão entre as lideranças daquele grupo. Como 90% dos mortos na Kiss tinham entre 18 e 30 anos, alguns fiéis culparam os pais das vítimas, entre eles César e Cida, pelo falecimento dos filhos.

O discurso ainda não havia chegado aos ouvidos dos familiares de Augusto, mas logo eles descobririam que os pastores atribuíam o episódio a um "castigo divino", condenando todos os que foram à casa noturna. Foi durante o velório do próprio filho que César ouviu isso pela primeira vez: chamado pelo pastor para uma conversa reservada na cozinha, o líder religioso repreendeu o pintor por estar sofrendo.

— Vocês não deveriam estar chorando, pois o Augusto não gostava de vocês. Se gostasse realmente, ele não lhes teria desobedecido e ido à boate — declarou o pregador.

Para não magoar Cida, o marido escondeu dela o que havia ouvido na cozinha da igreja em que Augusto estava sendo velado. O pastor, porém, tornou público o seu pensamento na "encomendação do corpo do jovem".

— Que a morte desse rapaz sirva de exemplo para todos os filhos que desobedecem aos pais. Se ele estivesse na igreja, não estaria morto — disse.

Cida estava ferida demais para reagir, mas, pouco tempo depois, foi surpreendida por uma nova advertência.

— Irmã, tu não deverias estar chorando, pois desobedeceu a Deus. Se Ele não te deu um filho natural, porque tu foste teimar em adotar? Mesmo que ele estivesse trabalhando e estudando, o dinheiro subiu para a cabeça dele — afirmou o pastor, sem saber que o menino recebia uma bolsa de estudo de apenas R$ 350.

A partir daquele instante, Cida sentiu-se abandonada por homens que pregavam "amor", mas só conseguiam falar em ódio e "vingança divina". Estava profundamente decepcionada.

* * *

Lívia Oliveira entrou na capela do Colégio Santa Maria, mas o corpo de Heitor ainda não havia sido levado para lá. Em profundo silêncio, ela correu os olhos pelo lugar. No teto da capela estava escrito um verso do Salmo 23: "O senhor é o meu pastor, nada me faltará". Quando o pai de Lívia, Jayme Oliveira, faleceu, oito anos antes, a consultora ótica pensou ter experimentado sua pior dor. Agora percebia o quanto estava enganada. Precisava de forças para passar por aquele ritual de despedida, mesmo não vendo a morte como o fim da vida.

Enquanto esperava, lembrou-se de uma das conversas que manteve com Heitor sobre a flor-do-campo, uma das preferidas dele, embora ela não conseguisse entender por quê.

— Filho, como tu podes gostar tanto assim de flor-do-campo? Ela nem tem cheiro!

— Mãe, é que tu nunca sentiste a flor-do-campo. Tu nunca cheiraste a flor do campo com o coração. Tu vais perceber que ela tem cheiro de mel.

A lembrança daquele diálogo fez a consultora sorrir. Heitor era um ser humano especial.

Lívia só conseguiu ver o corpo de Heitor após as sete da noite. Não pôde tocar nele, afinal o fechamento da urna tinha sido recomendado a todas as famílias. Durante o velório, ela foi surpreendida por uma jovem.

— Eu me chamo Juliana, sou a meia-irmã do Heitor. Meu pai está lá fora. Posso subir com ele? Deseja muito ver o filho.

Lívia não se opôs ao pedido, ainda que achasse que era tarde demais para o homem que passara 24 anos longe de Heitor se arrepender por não tê-lo conhecido de fato. Quando entrou na capela, o pai do jovem tinha o rosto transformado. Chorando muito, ele se abraçou ao caixão. Meses antes, ele mesmo havia pedido ao universitário que sumisse. Deixou o velório amparado pela meia-irmã de Heitor.

Lívia sentiu-se feliz por ter aproveitado todas as chances de estar com o filho. Ela o amara mais do que tudo na vida e fora muito amada por ele. Isso a acalentava. Assim, ao se despedir, não lamentou, apenas agradeceu.

— Meu Deus, obrigada pelo privilégio e pela oportunidade que me foi concedida. Por esses 24 anos que eu convivi com meu filho, pelas alegrias e preocupações que me ensinaram a crescer como mãe — sussurrou a consultora ótica, beijando o caixão de Heitor, uma das primeiras vítimas da Kiss a ser enterrada no Cemitério Santa Rita, às oito horas da manhã de segunda-feira.

Como não havia carro funerário para levar o caixão até o cemitério, um sobrinho de Lívia o transportou no caminhão da empresa em que trabalhava. Até tratores foram usados para dar suporte aos enterros.

No mesmo dia em que enterrou o filho, Lívia enfrentaria mais uma despedida. Ela foi ao velório de Silvinho, o caçula de Marta e Sílvio Beuren. Em cima do caixão de Silvinho estava a espada que ele havia comprado anos antes no Uruguai, uma relíquia que usou no desfile de 20 de setembro de 2012, quando se caracterizou de caudilho no Dia do Gaúcho. A gaita que sempre o acompanhava nas festas do sítio onde morava também estava lá.

Naquela segunda-feira, enquanto Silvinho era enterrado, os vizinhos do sítio de sua família realizavam um mutirão para dar andamento ao que o jovem havia iniciado: o cultivo da lavoura para a colheita do arroz que havia plantado. Seguiram o projeto definido anteriormente pelo rapaz. Com trator e pá, eles entraram na plantação. Não deixariam o sonho dele morrer também.

XI. "Holocausto dos tempos modernos"

O dia seguinte ao enterro dos filhos de Santa Maria vestiu o Brasil de luto e deixou o mundo em choque. A cidade, palco da tragédia, estava paralisada diante da dimensão do evento no qual todos perderam alguém: filhos, amigos, maridos e esposas, namoradas, irmãos, primos, sobrinhos, netas, pais. Em qualquer lugar do Coração do Rio Grande havia um pranto de dor, não só pelas pessoas que faleceram — o número havia subido para 235 —, mas também pelos sobreviventes que ainda estavam em risco. Dos 577 atendidos inicialmente na rede hospitalar do município, 124 permaneciam internados nos hospitais do Rio Grande do Sul, dos quais 56 em Porto Alegre. Do total de internados, 48 vítimas estavam no CTI, onze delas em estado muito grave. Além disso, 57 sobreviventes ainda precisavam de ventilação mecânica, conforme relatório do Ministério da Saúde.

Naquela terça-feira, 29 de janeiro de 2013, especialistas locais e equipes da Força Nacional do SUS continuavam trabalhando sem trégua para dar suporte aos feridos. Trinta profissionais da área da saúde do Grupo Hospitalar Conceição de Porto Alegre e outros dezoito da equipe de Apoiadores do SOS Emergência e de Secretaria da Saúde de Curitiba integraram a rede santa-mariense no atendimento aos sobreviventes. Muitos médicos e enfermeiros de Santa Maria que trabalhavam havia mais de cinquenta horas, desde a madrugada de domingo, continuavam mobilizados. Voluntários da Cruz Vermelha e também dos Médicos Sem Fronteiras, organização médico-humanitária que possui grande *expertise* em situações de calamidade, também viajaram para lá, a fim de oferecer apoio.

Depois do evento, o que mais intrigava as equipes era o fato de pacientes que haviam recebido alta na manhã de domingo em Santa Maria retornarem aos hospitais à noite com estado geral agravado. Os efeitos tardios da fumaça tóxica, inclusive com perda de consciência, confusão mental e até convulsão, indicavam que alguma coisa continuava a agir no organismo daquelas pessoas, a ponto de haver suspeita de importante comprometimento do sistema cardiorrespiratório. A intoxicação apenas por monóxido de carbono não requer, com raras exceções, necessidade de ventilação mecânica. E, no caso da Kiss, mais de oitenta pessoas precisaram desse recurso nas primeiras horas após a saída da boate. Também foi constatada entre as vítimas uma elevada saturação do oxigênio venoso, o que sugeria a ação de outro tipo de gás. Era preciso identificar, com a máxima urgência, o agente químico etiológico causador de tudo aquilo.

Os primeiros resultados de exames laboratoriais confirmaram a suspeita dos especialistas. Eles apontaram a presença de cianeto no sangue coletado, com consequente bloqueio da cadeia respiratória das células. Ao se espalhar pelo corpo, o ácido cianídrico — um dos venenos com ação mais rápida que se conhece — impede o transporte de oxigênio para órgãos vitais.

Na prática, os frequentadores da Kiss foram envenenados pelo mesmo gás letal usado nas câmaras de gás construídas nos campos de concentração nazistas, entre eles Auschwitz, na Polônia, durante a Segunda Guerra Mundial. A associação do cianeto com o monóxido de carbono potencializou o efeito do envenenamento, que resultou em alteração do estado mental dos frequentadores da boate, perda da consciência, colapso cardiovascular seguido por choque, edema pulmonar e morte, conforme dados contidos no livro *Protocolos de atendimento às vítimas da boate Kiss*, lançado pelo Hospital Universitário de Santa Maria.

De acordo com a publicação, o cianeto é capaz de levar uma pessoa a óbito após mais de um minuto de exposição significativa ao gás. O tempo de morte estimado dentro da Kiss foi de três a cinco minutos depois de o incêndio ter começado na espuma de poliuretano utilizada para fazer o isolamento acústico no teto do palco da boate e nas paredes. As chamas foram produzidas pelas fagulhas do artefato pirotécnico aceso pelo vocalista Marcelo de Jesus dos Santos, 32 anos, durante a apresentação da Gurizada Fandangueira, a segunda banda contratada para tocar naquela noite.

— Nós estamos lutando para conseguir a hidroxocobalamina — afirmou por telefone Soeli Teresinha Guerra, 50 anos, então diretora de Enfermagem do HUSM, que havia 31 anos trabalhava em hospitais.

— Mas cianeto, Soeli, você tem certeza? — questionou a mulher do outro lado da linha.

— Sim, para tu veres. Nós temos um holocausto. Revivemos, no dia 27 de janeiro, um holocausto dos tempos modernos — lamentou a enfermeira.

A hidroxocobalamina, derivada da vitamina B12, é utilizada como antídoto para bloquear a intoxicação aguda pelo cianeto. Como não estava disponível no país, 140 kits de ampolas desse medicamento precisaram ser importados dos Estados Unidos. O pedido foi intermediado pelo Departamento de Assistência Farmacêutica da Secretaria de Ciência, Tecnologia e Insumos Estratégicos do Ministério da Saúde, com o apoio da Agência Nacional de Vigilância Sanitária (Anvisa).

Até aquele momento, a descoberta de cianeto na amostra de sangue das vítimas estava sendo tratada sigilosamente. Exames realizados no Laboratório de Análises Toxicológicas da Universidade Feevale, de Porto Alegre, confirmavam as suspeitas sobre a toxicidade da fumaça inalada, resultado endossado pelo Centro de Informações Toxicológicas do Rio Grande do Sul, um departamento técnico da Fundação Estadual de Produção e Pesquisa em

Saúde vinculado à Secretaria de Saúde do estado. Em uma das amostras, foi encontrado mais que o dobro de cianeto suportável pelo organismo.

A conversa sobre a necessidade de se conseguir o antídoto contra o cianeto, mantida por Soeli ao telefone, foi presenciada pela jornalista Laura Capriglione, então na *Folha de S.Paulo*, uma veterana que estava há dias acompanhando o trabalho no hospital. O furo de reportagem estampou a capa do jornal no dia seguinte, estarrecendo o Brasil:

> Um pedido de doação de medicamento, feito pela diretora de Enfermagem do Hospital Universitário de Santa Maria, Soeli Terezinha Guerra, 50, ajudou a esclarecer a natureza dos sofrimentos impostos aos jovens feridos e mortos no incêndio da boate Kiss.
>
> Hidroxocobalamina é o nome do medicamento solicitado. Serve para combater a intoxicação causada pelo gás cianeto, o mesmo usado nas câmaras de gás nazistas, durante a Segunda Guerra Mundial.
>
> Era o princípio ativo do tristemente famoso Zyklon B dos campos de extermínio.
>
> Segundo o pesquisador Anthony Wong, diretor médico do Ceatox (Centro de Assistência Toxicológica do Hospital das Clínicas da Faculdade de Medicina da USP), trata-se de um dos venenos mais letais, por sua capacidade de paralisar os mecanismos de produção de energia das células, matando-as.

Pois o cianeto apareceu junto com a fuligem e o monóxido de carbono dentro da Kiss, como consequência da combustão dos materiais usados no revestimento acústico.

"Não tem cheiro nem cor e é capaz de matar em um prazo curtíssimo, de quatro a cinco minutos", explica Wong.

A detecção do cianeto é feita por análises químicas. Mas essa suspeita já existia mesmo antes da confirmação laboratorial. "É que o gás é subproduto da combustão de materiais como espuma de poliuretano, usada em revestimentos baratos com finalidades acústicas", diz Wong.

Revestimentos acústicos de boa qualidade são antichamas e não inflamáveis, portanto não produzem o cianeto.

A enfermeira Soeli disse ontem à *Folha* que o Hospital Universitário de Santa Maria já recebeu doações da hidroxocobalamina em quantidade suficiente para o tratamento dos pacientes lá internados (até ontem em número de onze).

Mas o toxicologista da USP considera inaceitável que o principal hospital público da cidade tenha de ter contado com doações. "Na França, todos os serviços de Pronto Socorro estão equipados com a hidroxocobalamina para tratar intoxicações por cianeto."

Ele explica que, no Brasil, o medicamento (comercializado sob o nome de Rubranova) é de difícil acesso porque o laboratório que importava o sal parou de fazê-lo, e o país não o produz. Nas farmácias, o sal também não é vendido.

No Hospital Universitário, três pacientes ainda necessitam de ventilação mecânica para conseguir respirar. E ainda há o risco de sequelas causadas por lesões nas células nervosas, fruto da falta de oxigênio. Esse é um resultado possível da intoxicação por cianeto, uma vez que o veneno mata as células que entram em contato com ele.

O mais cruel do veneno é que, sem cheiro nem cor, muitos jovens acabaram intoxicados, achando que estavam protegidos por máscaras improvisadas com roupas molhadas enroladas no rosto. Se conseguiu barrar boa parte das partículas de fuligem, diz Wong, esse expediente foi absolutamente inútil contra o cianeto.

Laura Capriglione, enviada especial da
Folha a Santa Maria, 30/01/2013

A publicação da reportagem deixou Soeli em uma saia justa. Por não ser médica nem pesquisadora da área, o fato de ela comentar o diagnóstico por telefone com uma colega de trabalho fez com que recebesse muitas críticas em seu meio. Questionada sobre que providências tomaria contra o jornal e a jornalista, Soeli não recuou diante da sugestão de contestação da informação:

— Olha, eu não vou negar. Eu disse aquilo. Eu respondo pela instituição e vou manter a informação.

Pressionada, a diretora de Enfermagem telefonou para a superintendente do hospital, Elaine Verena Resener, para conversar sobre o ocorrido. Naquele momento, Elaine e o marido, Ewerton Nunes Morais, estavam se dedicando ao filho, Luís Arthur. Resgatado com vida na Kiss, o acadêmico de Medicina estava em coma no HUSM havia quatro dias.

— Soeli, não te preocupes com isso — afirmou a diretora-geral, tranquilizando a colega. — Tem coisas muito maiores para tu cuidares aí.

O apoio de Elaine foi fundamental para Soeli, pois, além de todo o esforço da equipe da saúde no atendimento às vítimas diretas do incêndio, os profissionais estavam sob um fogo cruzado na guerra de informações a respeito dos desdobramentos do evento. Os olhos do mundo estavam voltados para Santa Maria. Assim, Soeli e os funcionários do HUSM teriam que aprender a lidar com o assédio da imprensa e as chagas que se seguiram ao episódio, como a oferta de venda das fotos dos corpos tiradas clandestinamente dentro do Farrezão. Para a enfermeira, enfrentar a exploração da tragédia era quase tão difícil quanto testemunhar a devastação provocada pelo incêndio.

Para além dos desdobramentos da divulgação da presença de cianeto no organismo das vítimas, havia um novo desafio: oferecer tratamento a longo prazo a todos os que haviam tido contato direto ou indireto com a fumaça tóxica. Como a constatação da intoxicação em massa por cianeto era algo novo no país, Soeli e o Hospital Universitário precisaram pesquisar muito sobre como lidar com as consequências causadas pelo gás liberado na forma de cianeto de hidrogênio, em temperaturas iguais ou maiores que 315 graus Celsius, pela combustão incompleta de qualquer material que contenha nitrogênio. Para manusear os intoxicados, por exemplo, os profissionais da saúde foram orientados pelo Centro de Informações Toxicológicas do Rio Grande do Sul a usar equipamentos de proteção individual (EPIs), como máscaras e luvas. A existência de risco sustentou também a decisão de manter os caixões fechados durante os velórios. Tal medida de prevenção acentuou o trauma experimentado pelos parentes, que se viram impedidos de tocar seus mortos durante o ritual de despedida.

Daquele momento em diante, era hora de pensar no recrutamento de um grupo multiprofissional capaz de acompanhar os sobreviventes e seus familiares. Nascia, então, o embrião do Centro Integrado de Atendimento às Vítimas de Acidentes (Ciava) do Hospital Universitário de Santa Maria. As atividades do Ciava foram iniciadas oficialmente quase um mês depois do incêndio, com a assinatura de um Termo de Compromisso celebrado entre o Ministério da Saúde, as secretarias de Saúde do Rio Grande do Sul e de Porto Alegre, as secretarias de Saúde e de Gestão e Modernização Administrativa do município de Santa Maria e a Universidade Federal de Santa Maria. O extrato de compromisso, assinado em 22 de fevereiro de 2013, determinou auxílio aos envolvidos no incêndio — incluindo socorristas, policiais civis e militares, bombeiros e moradores dos arredores da boate — a partir de ações de vigilância à saúde, atenção básica, especializada e psicossocial. O prazo de vigência estipulado foi de cinco anos; legalmente, o convênio expira em fevereiro de 2018, mas o trabalho que nasceu por causa do incêndio na Kiss se estendeu a outras vítimas de acidentes, sendo incorporado à rotina do HUSM. Mesmo com toda a ajuda do Ciava, porém, seus profissionais sabiam de antemão que ninguém sairia ileso de um episódio dessa natureza: nem os pacientes, nem os familiares, nem as equipes.

De fato, os efeitos físicos e emocionais ainda seriam sentidos por muito tempo. O drama se estendeu aos próprios profissionais da saúde que trabalharam nos dias que se seguiram ao incêndio, e que quebram o silêncio pela primeira vez dando depoimentos para este livro. Apesar de atuar, naquele momento, em uma bem-sucedida experiência de assistência em rede, a maior parte dos médicos, enfermeiros e psicólogos que prestaram atendimento às vítimas está em tratamento psiquiátrico.

Após a tragédia, o cirurgião geral e de trauma do HUSM Ewerton Nunes Morais mudou sua rotina de trabalho. Ele conseguiu salvar o filho, Luís Arthur, que estava na boate, mas, após a terrível madrugada da Kiss, colocou um ponto final na realização de plantões na Emergência. Liliane Espinosa de Mello Norberto Duarte — hoje major aposentada da Brigada Militar — e Márcia Dias Viana, enfermeiras que atuaram no Centro Desportivo Municipal no trabalho junto aos corpos das vítimas, desfizeram-se das roupas e calçados que usaram naquele domingo, mas não conseguiram descartar as lembranças do dia mais dramático de suas vidas.

O estresse pós-traumático se manifestou em períodos e de formas diferentes para cada um dos envolvidos.

— Soeli, eu não sei o que vou fazer. Eu não consigo parar de pensar. Sabe o que é? Eu cansei de lavar morto — comentou reservadamente, semanas após a tragédia, uma das funcionárias do HUSM que trabalhou como voluntária no Farrezão.

— Bah, como tu estás?

— Não sei. Aquilo ficou para mim. Parece que eu morri também.

— Como assim, morreu?

— Não sinto mais vontade de fazer as coisas que fazia antes. Não perdi ninguém próximo, mas sinto que perdi alguma coisa.

Um sobrinho da enfermeira também atuou como voluntário na manhã daquele 27 de janeiro. Após ajudar a colocar os corpos retirados da boate dentro do caminhão da brigada, seu comportamento sofreu mudanças drásticas, e só três meses depois ele conseguiu tocar no assunto.

— Tia, eu sinto a diferença do peso dos corpos até hoje. Eu ainda sinto um mais pesado que o outro. No começo, a gente pegava com todo o jeito, acomodava os jovens de dois em dois dentro do caminhão. Mas depois eu queria me livrar daquilo. Eram tantos, tantos, e cada vez vinham mais — confessou, angustiado.

Em março de 2013, só nos dois mutirões realizados pelo HUSM para o acolhimento das vítimas diretas e indiretas do incêndio, com realização de consultas e exames, foram registrados 1.628 atendimentos. O número dá a dimensão da quantidade de indivíduos afetados. E muita gente não procurou apoio imediato. Levou tempo para as pessoas perceberem que precisavam de ajuda. Entre 2013 e 2015 foram realizados 12.542 atendimentos no Ciava, que se tornou referência especializada em sobreviventes.

Um dos protocolos elaborados mais tarde para avaliar a capacidade funcional das vítimas indicou que quase 40% ainda sofriam de tosse produtiva e seca; 25,75%, de alteração do ritmo respiratório; mais de 20% tinham fadiga; quase 15%, alteração de sensibilidade e dispneia; 12,7% apresentavam cefaleia; e 10,25%, alteração cognitiva da memória.

Atualmente, 22 profissionais, incluindo médicos, enfermeiros, fisioterapeutas, psicólogos, assistentes sociais, educadores físicos, farmacêuticos, nutricionistas, entre outros, atendem cerca de seiscentos sobreviventes no Ciava. Eles recebem assistência fisioterapêutica ambulatorial, além de acompanhamento pneumológico, em função do desenvolvimento de problemas respiratórios crônicos. Do total de atendidos, vinte sofreram desordens respiratórias e musculoesqueléticas provocadas por grandes queimaduras. Uma das jovens acompanhadas pelo Ciava, de apenas 20 anos, precisou amputar parte da perna direita após o incêndio.

Se amenizar os sintomas do corpo foi um dos objetivos da criação do Ciava, a necessidade de garantir apoio psicológico e psiquiátrico para a população se acentuou nos dias que se seguiram à tragédia, principalmente para as vítimas que despertariam do coma nos hospitais, encontrando uma Santa

Maria bastante diferente de antes do incêndio. Abrir os olhos e enfrentar a realidade era tão doloroso quanto perceber o corpo mutilado. Não seria nada fácil carregar o rótulo de sobrevivente. Depois da Kiss, ninguém seria mais o mesmo. Ninguém.

XII. Abrindo os olhos

Quando Gustavo Cadore abriu os olhos, seu rosto estava coberto de comida. Um homem puxava seus cabelos com força e uma mulher o rolava na cama. Os dois discutiam. O coração do veterinário batia acelerado, mas ele não conseguia falar. Tinha um tubo enfiado na traqueia, por onde passava o oxigênio que o ajudava a respirar. Apavorado, achou que tivesse sido internado em um hospício. Mentalmente, perguntava-se o que tinha feito para ter ido parar naquele lugar. Até onde se lembrava, tinha conseguido sair da boate incendiada. Será que havia enlouquecido?

Tudo era tão confuso e surreal que ele pensou em arrancar aqueles fios que o prendiam ao leito e sair dali. Já começava a imaginar um plano de fuga quando constatou que mal conseguia se mexer. Seus braços estavam completamente enfaixados, incluindo as mãos. O tórax estava coberto por curativos. Sentiu muito medo. Tentou fazer contato, mas ninguém notou sua aflição. O jeito era se acalmar para entender por que as pessoas que usavam jalecos brancos gritavam daquela forma.

Percebeu, então, que o motivo da briga tinha a ver com a sua condição de paciente. Uma enfermeira questionava um colega por ter colocado nutrição enteral em excesso na sonda de Gustavo. Isso havia feito com que a solução voltasse pela própria sonda com aspecto de vômito, sujando não só o rosto do rapaz, mas todo o lençol. A falha obrigara os funcionários a realizarem serviço extra na madrugada: lavar Gustavo e trocar as roupas de cama dele. Irritados, os dois faziam a limpeza com pouco cuidado. O veterinário sentia-se refém nas mãos daquela gente desconhecida.

Quando tudo foi trocado em seu leito, e ele ficou limpo e sozinho, começou a sentir uma dor insuportável no pé. Um oxímetro, que devia estar há dias na mesma posição, comprimia o dedo do doutorando em Veterinária. Sem condição de se mexer, ele usou o outro pé para arrancar o aparelho que monitorava sua frequência cardíaca e a quantidade de oxigênio no sangue. De imediato, o monitor do hospital começou a apitar. Uma enfermeira veio correndo e não se deu conta de que o paciente tinha acordado. Mecanicamente, colocou o oxímetro no mesmo dedo que latejava sem parar. Gustavo tentou chamar a atenção dela, mas ela nada notou, afastando-se.

Como a dor era intensa, ele tirou o oxímetro outra vez. E o monitor recomeçou a apitar. A enfermeira voltou ao leito e foi ríspida com o veterinário.

— Então és tu que estás fazendo isso! Tu não podes tirar — explicou, colocando outra vez o aparelho no mesmo dedo.

Pela terceira vez, ele tirou o oxímetro, implorando que a enfermeira notasse que ele precisava de ajuda. Ela, porém, o repreendeu.

— Eu já falei pra ti que não podes tirar. Não quero ter que voltar aqui de novo — ameaçou.

Exausto e muito nervoso, Gustavo adormeceu. Quem sabe tudo não passasse de um pesadelo?

Quando seus olhos se abriram de novo, havia luz natural vinda da janela que ficava atrás da sua cama, a de número um. Gustavo olhou em volta e viu que tinha companhia. Havia pelo menos outros catorze leitos na ala. No teto da Unidade de Terapia Intensiva, uma lâmpada fluorescente iluminava o ambiente branco. De cima do leito, ele avistava a porta de entrada, que, ao ser aberta, dava acesso a um corredor movimentado e a outra janela, ao fundo. O veterinário tinha certeza: havia amanhecido. A experiência da madrugada não tinha sido fruto de um pesadelo. Pelo contrário. Confuso, ele procurava sintonizar-se com a realidade. Nesse momento, seu olhar se encontrou com o da enfermeira plantonista daquele dia. Ela se aproximou, apresentando-se.

— Tu sabes onde estás?

Ele não tinha certeza.

— No Hospital de Pronto Socorro, em Porto Alegre — disse ela.

Gustavo se lembrou da cena da boate incendiada no dia 27 de janeiro. Fazendo um esforço enorme, conseguiu, finalmente, perguntar em que dia estavam.

— Terça-feira — informou a profissional.

Gustavo fez as contas. Se era terça-feira, provavelmente ele tinha sido internado havia dois dias. O que o veterinário não sabia era que estava em 5 de fevereiro de 2013 e que havia passado os últimos nove dias em coma.

Vasculhando a memória, o doutorando em Veterinária recordou-se de ter sido deixado por uma ambulância na porta do Hospital de Caridade, em Santa Maria, naquele último domingo de janeiro. Ainda não havia amanhecido, mas, como a unidade estava lotada de vítimas, ele decidira ir embora de lá. Seus braços começaram a doer muito, em função das graves queimaduras que sofrera, por isso resolveu procurar um analgésico em casa. Seu plano era tomar um remédio, dormir um pouco e, no dia seguinte, ir atrás de ajuda médica. Também queria beber água, pois sentia muita sede. Apesar do calor infernal daquele janeiro, sentia também um frio intenso, a ponto de pensar em usar um cobertor.

No caminho para casa tentou pegar a chave da residência no bolso da calça jeans, porém não conseguiu. As mãos estavam em carne viva. Decidiu que pediria ajuda quando se aproximasse do prédio onde morava. A duzentos metros do hospital, foi impedido por uma mulher de continuar andando naquele estado pela rua.

— Tu precisas voltar. Estás todo queimado. Não vês?

Sem camisa, Gustavo tinha a pele dos braços completamente solta. Pior, eles tinham mudado de cor. Ficaram marrons e com algumas manchas pretas.

— Só volto se tomar água — respondeu para a desconhecida, sem noção da gravidade do seu caso.

A mulher, que tinha saído às ruas para procurar o filho, conseguiu arranjar uma garrafa pet de dois litros com água filtrada na portaria de um prédio. Gustavo quase a esvaziou. Ela, então, acompanhou-o de volta ao Hospital de Caridade, onde ele foi colocado na Sala do Gesso. Deitado em uma maca, o veterinário foi atendido inicialmente por um enfermeiro, que cortou com uma tesoura toda a pele morta de seus braços. Enquanto era socorrido, um jovem retirado da Kiss foi deixado ali perto. Acordado, ele não tinha ferimentos aparentes, como o do doutorando em Veterinária. Minutos depois, no entanto, sofreu um espasmo na frente de Gustavo, sendo retirado da sala. Sem coragem de perguntar, teve a impressão de que o rapaz entrara em óbito.

Ainda abalado com a cena, Gustavo viu entrar pela porta dois amigos que estavam à sua procura. Eles também tinham participado do churrasco organizado pelo Laboratório de Virologia Veterinária da UFSM no sábado à noite, no qual Gustavo comemorara a conclusão de sua tese sobre herpes vírus bovino, entregue três dias antes. Já eram duas e meia da manhã de domingo quando o veterinário e um colega decidiram esticar a noite na Kiss. Por isso seus amigos tinham certeza de que ele estava lá na hora em que o incêndio começara. A confirmação veio na lista de sobreviventes divulgada pelo rádio. Ao ouvir o nome dele, decidiram seguir para o Hospital de Caridade.

Os familiares de Gustavo residiam em Erval Seco, a 289 quilômetros de Santa Maria, quase na divisa com Santa Catarina. Até aquele momento, eles não sabiam o que havia ocorrido. Lizete Maria Cadore, 59 anos, falaria com o filho horas mais tarde.

Tossindo muito, Gustavo expelia uma grande quantidade de fuligem preta. Com o passar do tempo, sua voz começou a enfraquecer. A piora do estado geral do paciente fez com que os profissionais da saúde intensificassem o seu monitoramento a cada dez minutos.

— Bah, se tua saturação cair mais, vamos ter que te tirar daqui — avisou o médico.

Pouco tempo depois, Gustavo foi retirado da Sala do Gesso, sendo encaminhado para outra, transformada em UTI improvisada. Na saída, pediu aos amigos que tentassem avisar a seus pais, embora não se lembrasse do número de celular deles. Sabia apenas o do telefone fixo.

Ao chegar ao local para onde tinham sido levadas as vítimas da Kiss em estado mais crítico, Gustavo ficou impressionado com a quantidade de pessoas. A unidade intermediária lembrava um acampamento de guerra. No centro, havia uma mesa com material hospitalar, como luvas e gaze. No canto da sala, caixas com medicamento. Os monitores apitavam a todo instante. Voluntários, como a coordenadora do curso de Fisioterapia da UFSM Marisa Bastos Pereira, 51 anos, ajudavam a realizar manobras nos pacientes, na tentativa de deslocar e sugar as secreções aspiradas que tinham aderido aos órgãos e liberar as vias aéreas superiores e inferiores. Com vasta experiência em unidade intensiva, a própria Marisa montou ventiladores mecânicos doados ao Caridade por hospitais da região, auxiliando sua instalação nos pacientes.

Ao olhar toda a movimentação, o veterinário intuiu a dimensão do episódio. Àquela altura, ele sentia muita dor. Não sabia, mas tinha quase 40% de sua superfície corporal queimada. Seu rosto, braços e tórax foram medicados com pomada.

— Por favor, estou com lentes de contato. Pode retirá-las para mim? — pediu a uma enfermeira, ao tomar consciência de que, a qualquer instante, poderia ficar desacordado.

Não demorou muito para o veterinário ser avisado de que seria transferido de Santa Maria para Porto Alegre de helicóptero.

— Eu não quero ir — relutou, sabendo que não havia escolha.

A transferência imediata era a única maneira de salvar sua vida. No momento em que sua calça e sua cueca começaram a ser cortadas com tesoura, Gustavo soube que seria sedado.

— Não, por favor, eu preciso falar com a minha mãe antes — pediu.

A enfermeira que o atendia, cujo nome ele não lembra, tirou o próprio aparelho celular do bolso do jaleco e ligou para o número da residência dos pais de Gustavo. Quando

Lizete atendeu, explicou o que tinha acontecido, permitindo que o doutorando falasse rapidamente com ela.

— Mãe, fique calma. Estou queimado, mas bem — disse o filho.

Foi sua última frase. Sedado, entrou em coma induzido e só acordou nove dias depois, no Hospital de Pronto Socorro de Porto Alegre, na madrugada daquele 5 de fevereiro de 2013, quando pensou que estivesse em um manicômio. Localizando-se no tempo e no espaço, queria agora ter notícias da Kiss. Continuava, porém, entubado, sem conseguir fazer perguntas. Naquela terça-feira, ele viu a mãe. Quando Lizete chegou à UTI, no seu primeiro dia acordado, a servidora pública com formação em Bioquímica só conseguia chorar. Pela primeira vez, desde que falara rapidamente com o filho naquele telefonema intermediado por uma enfermeira em Santa Maria, ela respirava aliviada. Finalmente seu guri ficara fora de perigo.

Durante o coma, o veterinário tinha passado por um desbridamento da pele, com a remoção do tecido necrosado, e logo descobriria que seus braços necessitariam de enxertos. Dois dias depois de acordar, ele se submeteria à primeira das três cirurgias que faria. A partir daquele instante, a dor o acompanharia pelos dez meses seguintes. Estava apenas no primeiro.

Só no Pronto Socorro, Gustavo ficaria por 24 dias. Aos poucos, perceberia que precisava reaprender a viver, pois não conseguia sequer dobrar os braços. Para se alimentar, se vestir, tomar banho e usar o banheiro, necessitava de um cuidador. Os dedos de suas mãos não se movimentavam. Nem o garfo ele dava conta de segurar sozinho.

Os dias que se seguiram no hospital foram difíceis. Gustavo fez uso diário de morfina, e quando o potente anestésico já não fazia efeito foi necessário tentar um novo sedativo. Por duas vezes ele sofreu parada cardiorrespiratória, em função do uso de cetamina, um analgésico injetável que provocou uma inesperada reação alérgica.

Quando foi desentubado, quis novamente saber notícias da Kiss. As lembranças do incêndio e da luta que travara pela vida dentro da boate o atordoavam. Contudo, seus pais e todos os que o acompanhavam evitavam tocar no assunto.

— Mãe, quantas pessoas morreram? — questionava.

— Foi grave, filho. A presidente Dilma Rousseff esteve em Santa Maria — respondia a mãe sem falar em números.

Para Gustavo, deveria ter havido umas cem mortes, mas ninguém as confirmava. Ele não insistia, pois vivia tempos duríssimos. Diariamente, tinha que passar por uma traumática troca de curativos. Cada uma o testava no limite da dor. Precisava ser forte para encarar um ano dramático.

Como tinha pouco o que fazer naquela condição, seu passatempo preferido era olhar as luzes do corredor se acenderem e apagarem. Também gostava de acompanhar o vai e vem dos profissionais que ele já conhecia pelo nome. Além dos médicos, enfermeiros e técnicos, fez amizade com pacientes da UTI. Seu vizinho de leito, um homem baleado em uma rixa em Torres, tinha arranjado um apelido para ele.

— Ô "Santa Maria", como tu estás hoje?

— Melhor — dizia, rindo, mas logo a conversa era cortada por algum funcionário que pedia silêncio.

Gustavo ainda estava internado quando finalmente conseguiu obter informações sobre a Kiss. Soube que, até aquele dia 16 de fevereiro de 2013, 35 pessoas continuavam em leitos da rede hospitalar gaúcha e que cinco permaneciam em ventilação mecânica.

— Quantos morreram? — insistiu.

— Duzentas e trinta e nove pessoas até agora — contou a mãe durante a visita.

Passados vinte dias da tragédia, o veterinário chorou pela segunda vez.

XIII. Todo dia é 27

Para quem perdeu um pedaço de si na Kiss, todo dia é 27. É como se o tempo tivesse congelado em janeiro de 2013, em um último aceno, na lembrança das últimas palavras trocadas com os entes queridos que se foram, de frases que soarão sempre como uma despedida velada. Retomar uma história brutalmente interrompida sem os personagens principais exige uma reinvenção de si mesmo. Muitos pais que reconheceram os filhos mortos no chão frio do Centro Desportivo Municipal perderam a capacidade de trabalho, passaram a fazer uso contínuo de remédios ou de álcool e a sofrer de doenças mentais. Cinco faleceram, posteriormente, com problemas de saúde. Casais se separaram depois que um dos dois desencontrou-se de si mesmo. Algumas mães ausentaram-se voluntariamente da vida. E, mesmo tendo outros filhos, não foram capazes de se dedicar a eles de imediato. É como se a presença de um remetesse à ausência do outro, é como se elas não enxergassem mais nenhum.

— Pai, eu fui uma boa mãe, não fui? — perguntou a ex--auxiliar de nutrição Carina Adriane Corrêa, 34 anos.

— Tu foste uma ótima mãe, a melhor — respondeu, aos prantos, o militar José Carlos Barros Corrêa, 58 anos, avô de Thanise, 18, uma das primeiras vítimas resgatadas sem vida da boate.

Aos 13 anos, foi Camilly, a irmã de Thanise, quem a viu primeiro, desacordada no estacionamento em frente à casa noturna, em foto postada na internet. A dúvida sobre se estava morta ou não virou certeza na tarde daquele domingo, quando a vida da família modificou-se por completo.

Carina descobrira que estava grávida de Thanise aos 15 anos. Adolescente, ela namorava há 24 meses um garoto do bairro três anos mais velho que ela. Os dois assumiram a filha com o apoio dos pais de Carina. José Carlos e a esposa, Sandra Corrêa, acolheram os três em sua casa. Com o nascimento da neta, eles ganharam mais uma filha, apaixonando--se pela menina apelidada de Di, por causa de "Dime luna", música da banda de pop rock mexicana Maná cuja letra fala de um amor perdido, mas sem o qual não se pode viver, pois não se pode tirar do céu a lua.

O casamento de Carina durou dez anos e dele nasceu depois Camilly. Di, como também era chamada pela irmã caçula, foi a primeira neta da família e a primeira a chegar à faculdade. Cursando Filosofia, ela enchia de orgulho o avô transformado em pai. É que, com a separação da filha, as meninas perderam o convívio com o pai biológico por longos oito anos. José Carlos nunca se importou de assumir esse papel. Era pai, avô e tudo o que elas precisassem que ele fosse. Quando Thanise passou no Centro Universitário Franciscano, em 2012, ele se gabou com os amigos. Tinha uma neta filósofa, que entendia das coisas que seu pensamento não alcançava. Acreditava que ela já era muito maior do que ele tinha conseguido ser até ali.

Por isso perdê-la foi como arrancar as raízes de um sonho que surgira a partir de um amor profundo, pois a neta era filha duas vezes, era a esperança de uma vida melhor. Ele ficou sem chão. Já Carina perdeu a cara-metade. Thanise era filha, mas também sua melhor amiga. As duas eram próximas, confidentes, saíam juntas porque ambas eram muito jovens. Thanise devolveu a Carina a adolescência que ela não teve. Quando arrumou o primeiro namorado, pediu à mãe que se passasse por ela e terminasse com ele por telefone em seu lugar, pois não tinha coragem de romper o compromisso.

Na semana que antecedeu a festa na boate, mãe e filha dividiram a cama e a vontade de encontrar uma roupa nova para Thanise ir à Kiss. Vaidosa, a estudante de Filosofia queria um vestido vermelho e um sapato da moda, mas a roupa não serviu. No provador da loja, o vestido justo demais teimava em não sair. Se a peça rasgasse, Carina teria que arcar com o prejuízo. Quando ela finalmente tirou o vestido colado ao corpo da filha, a universitária teve um acesso de riso. Mãe e filha riram juntas de si mesmas. Era sempre assim. Elas se sentiam felizes na companhia uma da outra.

O vestido vermelho ficou para trás, mas o sapato, não. Pouco acostumada a usar salto alto, Thanise saiu de casa naquele 26 de janeiro sentindo-se especial.

— Mãe, tu não imaginas como estou linda — contou ela por telefone.

Carina estava de plantão no Hospital da Unimed, onde trabalhava como auxiliar de nutrição. Não pôde ver a filha se arrumar, mas imaginava que a morena cor de jambo e cabelos pretos escorridos até a altura do queixo não passaria despercebida. Douglas Medeiros, 24 anos, o namorado dela que não foi à Kiss porque tinha de concluir um trabalho, já fora conquistado por seu charme.

Por volta de uma hora da madrugada de domingo, Thanise falou com a mãe novamente pelo celular. Seria a última vez. Contou que estava cansada, principalmente por causa dos saltos altos, modelo a que não estava habituada, já que gostava mesmo era de sapatilhas e de seu inseparável All Star.

— Vai para a casa do Douglas, filha. Amanhã a gente se fala. Te amo.

— Eu também.

Thanise morreria quase três horas depois daquele telefonema. Carina vestiu-se de culpa por ter comprado os sapatos de salto alto que ela julgava terem dificultado a tentativa de fuga da filha da boate. A ideia dolorosa a martirizava.

Durante um ano, passou a viver em busca de justiça. Dedicou-se de corpo e alma ao movimento de protesto Santa

Maria do Luto à Luta, idealizado pelo pai de Andrielle, Flávio José da Silva. No entanto, tornou-se uma estranha em casa. Afastou-se de Camilly, que sofria com a perda da irmã e a invisibilidade imposta pela mãe. Carina não conseguia aconchegar a filha mais nova porque também precisava de colo.

Sem rumo, a mãe de Thanise resolveu tirar a própria vida usando remédios. Foi parar no hospital. Tempos depois, olhou para Camilly e quis matá-la. Pensava que, em seguida, se mataria. Partiu para cima da filha com uma faca, e como não teve coragem de feri-la cortou a si mesma várias vezes com a lâmina. Era sua segunda tentativa de suicídio, e ela foi hospitalizada mais uma vez.

Assustada, Camilly sofria em silêncio. Apesar da pouca idade, recusava-se a julgar a mãe. Foi excessivamente madura para uma menina mal chegada aos 14 anos. Sabia que Carina precisava ser ajudada. Não queria ser mais um peso para ela. Estava dilacerada, mas não reclamava. Desde que nascera, a irmã Thanise era seu espelho. Agora, quando via sua imagem refletida, só enxergava solidão.

As coisas ficaram ainda mais duras com a morte do avô, que sofreu um ataque cardíaco quase um ano depois do falecimento de Thanise. Carina entrou em depressão profunda, passou a viver no quarto fechado em completa escuridão. Só encontrou o apoio que precisava no Acolhe Saúde, o serviço de acolhimento multiprofissional em saúde criado pela Prefeitura de Santa Maria, com sede na rua Tuiuti, nº 1.026, no bairro Nossa Senhora de Fátima. Sua proposta é manter as portas do atendimento psicossocial abertas às vítimas diretas e indiretas do episódio, além de dar apoio matricial para a rede de saúde de Santa Maria.

No livro *A integração do cuidado diante do incêndio da boate Kiss*, a trajetória do serviço é descrita e aponta para a realização de 2.107 atendimentos entre fevereiro e março de 2013. Na contagem, levaram-se em conta visitas domiciliares, atendimentos individuais e por telefone, além dos realizados com grupos de familiares e dos encaminhamentos para internação.

Foi no Acolhe que Carina entendeu que precisava ajudar a si mesma e à filha. Necessitava resgatar os laços com Camilly, voltar a cuidar dela e de si. Três anos depois do incêndio, aos 16 anos, Camilly teve câncer no pâncreas. A doença, incomum para uma adolescente, obrigou Carina a incorporar novamente o papel de mãe. Nascia, então, uma nova Carina que ela mesma ainda está aprendendo a conhecer.

Embora diferente de tudo que experimentara antes, quando elas eram três, reconhecer-se na filha mais nova seria fundamental para a nova fase que enfrentaria. Quando sua caçula foi operada e, depois, encaminhada à UTI, a ex-auxiliar de nutrição telefonou para casa. Precisava desabafar.

— Mãe, o que é que eu fiz? Eu vou perder as minhas duas filhas! A única coisa em que fui bem-sucedida na vida foi ser mãe. Não consegui ser boa em gerenciamento de dados, não consegui ser assistente social, como eu sonhava, mas consegui ser uma boa mãe, consegui passar ideias boas para as minhas filhas, de caráter, de honestidade, e consegui dar muito carinho para elas. Por que eu não consegui protegê-las? A Di, eu não tive como salvá-la. Já a Camilly, por que ela teve um câncer e não eu? Não pode acontecer de novo — afirmou, aos prantos.

A possibilidade de perder Camilly fez Carina reencontrar a maternidade. Ela, que temia continuar a amar, lembrou-se do que a movia como ser humano: não desistiria mais da filha nem de si mesma.

Camilly se recuperou plenamente da doença, mas ainda não aprendeu a lidar com a ausência de Thanise. Sua dor é não conseguir minimizar a da mãe. É sentir que a família se desestruturou de tal forma que tem sido difícil reuni-la. As perdas não pararam em 2013, com a morte de Thanise. Além da morte do avô, que definhou desde que soube que a neta tinha falecido, e de sua própria doença, Camilly agora assiste à luta da avó contra um câncer.

Nos últimos anos, a jovem sentiu muita falta de Carina e da mãe que ela sempre fora. Conseguiu perdoá-la ao perceber que ela fora tão vítima da Kiss quanto Thanise. Carina, no entanto, ainda não se perdoou. Talvez um dia.

XIV. Fechando os olhos

Quando o promotor Joel Dutra, 54 anos, passou a acompanhar pessoalmente as providências tomadas nas primeiras 24 horas após o incêndio na boate Kiss, ele jamais imaginaria que se colocaria, dois anos depois, no centro de um dos processos mais polêmicos em torno do episódio: o que ele e outros dois representantes do Ministério Público moveram contra pais de vítimas por calúnia e difamação. O processo ficaria nacionalmente conhecido como a "segunda tragédia da Kiss".

Joel formou-se em Direito em 1985 na cidade em que nasceu, Bagé, a 240 quilômetros de Santa Maria. Onze anos depois, ele iniciaria sua carreira no Ministério Público em Cacique Doble, um pequeno município no noroeste do Rio Grande do Sul. Mudou-se já casado para Santa Maria, onde suas três filhas foram criadas. Há dezoito anos na cidade, ele se considera um cidadão santa-mariense.

A desconfiança dos familiares das vítimas em relação à atuação das autoridades públicas no caso teve início logo depois do enterro de seus filhos. Ainda arrasados com a perda, eles foram surpreendidos com a notícia de que a boate jamais estivera 100% regularizada. Inaugurada em julho de 2009, a casa noturna começou a funcionar sem que as obras no prédio tivessem sido aprovadas pela prefeitura.

Na ocasião, a Eccon Empreendimentos de Turismo e Hotelaria Ltda., proprietária do imóvel em que a boate seria instalada, alugou o espaço para a empresa do ramo de bares e danceteria Santo Entretenimento Ltda. Um mês antes, a Eccon solicitara à Prefeitura de Santa Maria autorização para a realização de obras no local, mas a intervenção, já em andamento, acabou sendo denunciada ao setor de fiscalização de tributos da prefeitura devido à inexistência da licença. Isso, no entanto, não impediu que a Kiss abrisse as portas naquele mês.

Já com a boate em atividade, a prefeitura fez uma série de recomendações de adequação do projeto arquitetônico, incluindo a adequação a normas, como a NBR nº 9.077/01, que prevê a existência de saídas de emergência em edifícios. Tais dados constam da petição internacional apresentada em 2017 por sete entidades gaúchas à Comissão Interamericana de Direitos Humanos, da Organização dos Estados Americanos (OEA), na qual é pleiteado o reconhecimento da responsabilidade da República Federativa do Brasil pela tragédia.

Ainda em 2009, a Prefeitura de Santa Maria constatou a necessidade de serem realizadas 29 modificações no interior do prédio da Kiss, entre elas o cumprimento da exigência de que o estabelecimento tivesse duas portas de emergência. Boa parte das adequações determinadas à época não foi realizada.

Mas os problemas referentes à atividade no endereço da rua dos Andradas não foram só esses. Incomodados com o barulho, os vizinhos da casa noturna protocolaram na prefeitura uma reclamação por perturbação do sossego. Em 1º de agosto de 2009, fiscais da Secretaria de Controle e Mobilidade Urbana vistoriaram a boate e, diante da ausência das licenças legais, lavraram o Auto de Infração nº 102/09, determinando o encerramento de suas atividades e dando o prazo de cinco dias para a apresentação do Alvará de Localização.

A queixa também foi protocolada no Ministério Público, dando origem ao Inquérito Civil instaurado em 17 de agosto de 2009 para investigar a poluição sonora causada pela Kiss. Quando a casa noturna se incendiou, mais de três anos depois da abertura do inquérito, ele ainda estava em andamento. Com o incêndio, acabou sendo arquivado em função da perda do objeto da ação.

O fato é que só em 2009 a Kiss foi multada cinco vezes por descumprimento de exigências legais. Apesar disso, continuou aberta.

A despeito de todas as notificações, apenas em 23 de março de 2010 a Santo Entretenimento protocolou, na prefeitura, a Ficha de Inscrição Declarada, necessária para a concessão do Alvará de Localização. Dois dias depois, uma fiscal da prefeitura fez a primeira vistoria no local, deixando em branco os itens referentes, por exemplo, ao Alvará Sanitário, considerado obrigatório para a concessão do Alvará de Localização, que só saiu sete meses depois da inauguração da boate. No ano seguinte, o Alvará de Localização foi renovado mesmo não estando válido o Alvará de Prevenção e Proteção Contra Incêndio, pré-requisito legal para a concessão do documento.

Em 19 de abril de 2012 foi emitido um boletim de vistoria para a renovação do Alvará de Localização em nome da boate Kiss, que, nessa data, estava com a Licença de Operação Ambiental vencida e também sem o registro de Anotação de Responsabilidade Técnica para os processos de renovação. A última Licença de Operação Ambiental da boate data de 27 de abril de 2012 e estava vigente quando ocorreu o incêndio.

Os outros alvarás concedidos para a Kiss seguiram a mesma lógica: acabaram sendo emitidos após a inauguração da casa, e isso inclui o Alvará de Prevenção e Proteção Contra Incêndio, datado de 28 de agosto de 2009. Concedido com base no Plano de Prevenção e Proteção Contra Incêndio (PPCI), o documento aponta que o local possuía área de 615 metros quadrados.

Em 11 de abril de 2011, a boate foi inspecionada pelo Corpo de Bombeiros, que emitiu notificação de correção referente aos extintores, à iluminação de emergência, às saídas de emergência e às mangueiras de gás, indicando, ainda, a necessidade de se criarem duas saídas, em observância à NBR nº 9.077/01. O Alvará de Prevenção e Proteção Contra Incêndio da boate foi renovado em 11 de agosto de 2011, apesar das pendências. O vencimento do segundo alvará ocorreu após um ano, em 11 de agosto de 2012. Dois meses depois, os proprietários da Kiss recolheram a taxa de R$ 56,88, referente à renovação do Alvará de Prevenção e Proteção Contra Incêndio. No entanto, o incêndio ocorreu em 27 de janeiro de 2013 sem que a inspeção tivesse sido realizada pelos bombeiros.

No ano em que a vistoria não aconteceu, três funcionários da boate, sem nenhum conhecimento técnico, entre eles um barman, instalaram na casa noturna espumas compradas em uma loja de colchões da cidade, na tentativa de conter o vazamento do som que persistia e que era objeto do Termo de Ajustamento de Conduta (TAC) assinado pelos representantes da Kiss junto ao Ministério Público. Doze mantas de espuma piramidal foram compradas entre 2011 e 2012, sendo a última aquisição realizada em 24 de julho de 2012. Elas foram colocadas no teto do palco e nas paredes laterais da casa. O uso desse material com a finalidade de isolamento acústico é expressamente vedado por lei municipal.

Dois dos três funcionários da Kiss que colocaram a espuma altamente inflamável e tóxica utilizando "cola de sapateiro" morreram no incêndio. O barman sobreviveu e contou à polícia ter sido um dos responsáveis pela instalação do material por determinação de Elissandro Callegaro Spohr, 29 anos, conhecido como Kiko, um dos sócios da boate. A defesa de Kiko afirmou que o uso de espuma se deu por orientação de um engenheiro contratado para resolver o problema da poluição sonora, embora o pedido não conste no projeto assinado pelo profissional, conforme dados do inquérito policial da 1ª Delegacia de Polícia de Santa Maria, cujo relatório final é de 22 de março de 2013.

Na investigação conduzida pelos delegados Marcelo Mendes Arigony, Sandro Luiz Meinerz e Marcos Ramos Vianna, além de Gabriel Gonzales Zanella e Luisa Sousa, é dito, por exemplo, que a implantação das grades de ferro utilizadas irregularmente dentro da casa noturna para organizar o fluxo das filas teve início em 2011, mas os bombeiros responsáveis pela fiscalização alegaram, posteriormente, que elas não estavam lá no momento da vistoria.

Na prática, a Kiss ficou aberta durante 41 meses e 27 dias. Nesse período, por 31 meses, funcionou sem o Alvará Sanitário, incluindo o dia da tragédia. Por vinte meses, funcionou sem a Licença de Operação Ambiental. Por dezessete meses, funcionou sem o Alvará de Prevenção e Proteção Contra Incêndio. Por sete meses, funcionou sem o Alvará de Localização.

O incêndio na boate trouxe à tona um sem-número de contradições e de conflitos provocados por condutas consideradas omissas, negligentes e/ou criminosas, respingando suspeição sobre diversos agentes públicos. A principal pergunta dos familiares afetados diretamente pelo evento é como uma boate que jamais operou um único mês atendendo a todas as exigências legais para a manutenção de suas atividades conseguiu chegar, incólume, até o dia 27 de janeiro de 2013. A busca por respostas, principalmente por justiça, ainda mobiliza os parentes das vítimas em meio a uma maratona de teses, indícios e provas que compõem o chamado Caso Kiss. Só o processo criminal, sob os cuidados do juiz da 1ª Vara Criminal de Santa Maria, Ullysses Fonseca Louzada, conta com mais de 20 mil páginas, ultrapassando sessenta volumes.

Quando o relatório final do inquérito policial que apurou o incêndio foi divulgado, em março de 2013, dezoito pessoas haviam sido indiciadas pelos delegados. Quatro foram indiciadas por homicídio doloso: Kiko e Mauro Londero Hoffmann, 47 anos, identificados como sócios da boate, o produtor de palco Luciano Augusto Bonilha Leão, 35 anos, da banda Gurizada Fandangueira, e o músico Marcelo de Jesus dos Santos. As outras catorze pessoas apareceram no rol de indiciados por crimes diversos, entre elas familiares de Kiko que trabalhavam na boate, secretários municipais e fiscais da prefeitura. Bombeiros que atuaram no resgate no dia do evento e na fiscalização da Kiss ao longo dos anos também foram indiciados ou tiveram os nomes citados para posterior investigação de "indícios de autoria e materialidade de prática de ao menos cinco homicídios de natureza culposa".

O prefeito Cezar Augusto Schirmer, que iniciava seu segundo mandato em Santa Maria no ano do incêndio, também foi responsabilizado pela Polícia Civil perante o episódio, por se constatar "falta de comunicação entre as secretarias e entre estas e o prefeito municipal", conforme relatório final dos delegados à frente da investigação. Considerando o foro privilegiado de Schirmer, os delegados remeteram cópia do expediente à 4ª Câmara Criminal do Tribunal de Justiça do

Estado do Rio Grande do Sul informando haver indícios de que sua conduta concorrera para as mortes na boate.

No caso dos agentes municipais, os delegados ressaltaram que eles tinham poder de polícia na fiscalização do município, cabendo a eles a suspensão de atividades que pudessem ameaçar o sossego e a segurança pública. O nome de cinco servidores municipais, do prefeito e de três bombeiros, entre eles o do comandante do Corpo de Bombeiros à época, foram remetidos ao Ministério Público para apuração de improbidade administrativa.

Quanto aos familiares de Kiko, os policiais concluíram que eles tiveram participação na morte de 242 pessoas e no ferimento de mais de seiscentas, visto que contribuíram para a realização das obras no interior da Kiss.

* * *

O inquérito evidenciou, ainda, que dois bombeiros militares incorreram em fraude processual por incluírem, após o incêndio, cálculo da capacidade populacional da boate que não constava no Plano de Proteção e Combate a Incêndio original. Ainda no entendimento da Polícia Civil, sete bombeiros que trabalharam na linha de frente do incêndio praticaram condutas penais típicas referentes a homicídio doloso por omissão, visto que não impediram cinco jovens (número oficial) de retornar à boate incendiada para tentar salvar parentes e amigos. Testemunhas ouvidas no inquérito apontam que Augusto Malezan de Almeida Gomes, 18 anos, Lucas Leite Teixeira, 21 anos, Vinícius Montardo Rosado, 26 anos, Henrique Nemitz Martins, 26 anos, e Rafael de Oliveira

Dorneles, 31 anos, morreram após voltar para a Kiss na ânsia de resgatar pessoas.

Com apenas 18 anos, Augusto Malezan de Almeida Gomes foi o mais jovem a retornar à casa noturna. Filho de Jaqueline Malezan, 48, o menino que amava a vida no campo manteve-se indeciso até o último minuto entre a ida à boate ou a um baile em Boca do Monte. Na sexta-feira, véspera da tragédia, ele havia conhecido uma menina em um churrasco, chamado no Rio Grande do Sul de carneiraço, organizado por estudantes da UFSM. "*Homi*, vamos no baile", escreveu um amigo de Augusto pelo Facebook. "A Kiss tem todo fim de semana." "Mas é que eu conheci uma menina linda", justificou o adolescente, que tinha grandes planos. Um de seus sonhos era tirar carteira de motorista para viajar com a mãe por esse mundão de Deus. Apesar da pouca idade, era ele quem manejava os tratores e as máquinas da fazenda do avô desde pequeno.

Augusto estava tão dividido que, no sábado, 26 de janeiro de 2013, foi para a boate com a calça do terno, já que não entraria no baile sem a roupa social. Logo que o incêndio começou, ele conseguiu sair. Retornou minutos depois para retirar os amigos. Não resistiu à fumaça tóxica.

Com 1,99 metro e 120 quilos, Vinícius Montardo Rosado seria considerado o mais apto a deixar a Kiss, em função de sua compleição física. Ele cursava o último período de Educação Física na Faculdade Metodista de Santa Maria e era o melhor amigo de todo mundo. Com um coração maior do que o próprio tamanho, Vinão, como era chamado, reunia pessoas a seu redor. Foi assim com o time de rúgbi, do qual fazia parte.

Um dia, Lica Montardo Rosado, 56 anos, mãe de Vinícius, foi assistir a uma partida do Universitário Rugby de Santa Maria. Saiu de lá horrorizada:

— Que loucura é essa, meu filho? Que esporte mais violento!

— Tá, mãe! Se tu quiseres, eu danço balé. Me consegue uma vaga — brincou, explicando a ela que gostava do rúgbi porque era um esporte familiar, idealizado para os brutos, mas "jogado por cavalheiros".

Na madrugada do incêndio, Vinícius chegou a sair da boate, mas resolveu voltar para tirar lá de dentro pessoas inconscientes. A irmã dele, Jéssica, 24 anos, estava na Kiss e conseguiu se salvar. Sempre solidário, ele foi fiel à sua essência até o final de suas forças. Após sua morte, Ogier de Vargas Rosado, 51 anos, o pai que Vinícius apelidara carinhosamente de "Tio Bigode", criou a Associação Ah, Moleque, um tributo aos ideais humanitários do filho.

A cobrança pela morte dos civis que retornaram para o interior da boate foi a pá de cal sobre os bombeiros, que viram um país inteiro questionar sua capacidade de socorro.

— Imagina... eu fui lá para salvar pessoas e sou indiciado pela morte delas. A vida inteira eu salvei gente. A vida inteira eu me dediquei ao salvamento. Aí, chega alguém e diz que eu sou culpado. Isso foi esmagador para o nosso estado psicológico. Eu chorava muito. Imagina você ficar quase um ano pensando: será que eu sou culpado mesmo? Será que eu sou assassino? E será que eu vou ser preso? O Estado não teve a capacidade de mandar um advogado para nós. Mas o que mais me chocava era que eu sabia que tinha feito a coisa certa e o pessoal estava falando mal de mim, da minha equipe. Isso aí doeu muito, por muito tempo — revelou o agora primeiro-tenente da reserva Robson Viegas Müller, absolvido da acusação de homicídio doloso por omissão.

Apesar de ter sido inocentado, Müller jamais vai esquecer o dia em que seu filho, na época com seis anos, chegou em casa atordoado:

— Pai, lá na minha escola estão dizendo que o senhor é assassino. Mas o bombeiro não salva pessoas? Por que estão falando isso?

Naquele momento, Müller não tinha resposta.

Além dos sete bombeiros, o comandante da corporação foi condenado por prevaricação, pois deixou de punir um subordinado que atuava como gerente de uma das empresas que realizara obras na Kiss. Foi também condenado por falsidade ideológica, em razão da concessão do segundo Alvará de Prevenção e Proteção Contra Incêndio da Kiss emitido em 2011 sem respeitar a legislação e sem a realização do treinamento de prevenção e combate a incêndio. Condenado a quatro anos e cinco meses de prisão, ele teve a pena reduzida pelo Tribunal de Justiça Militar para um ano e três meses.

Um tenente-coronel que assinou, também em 2011, o Alvará de Prevenção e Proteção Contra Incêndio da Kiss, considerado ilegal por descumprir a legislação, foi absolvido pelo Tribunal de Justiça Militar. Na petição apresentada à OEA, a advogada Tâmara Biolo Soares criticou a decisão:

> Os réus foram responsáveis pela autorização ilegal para que a boate permanecesse aberta, conduta que concorreu diretamente para as nefastas violações deste caso. Em razão da consequente morte e violação da integridade de centenas de civis é incompatível com a Convenção Americana que tenham sido julgados no âmbito da jurisdição militar.

A falta de equipamento e de bombeiros em número suficiente para o atendimento da ocorrência foi igualmente alvo de críticas após o incêndio, já que Santa Maria contava, à época, com o Fundo Municipal de Reequipamento do Corpo de Bombeiros (Funrebom), que entre 2010 e 2012 recebeu repasses da ordem de R$ 2.011.324,07. Contudo, entre suas demandas havia até pedido de compra de carro de luxo, vetado pelos gestores do fundo. Após a tragédia, o presidente do fundo pediu demissão alegando falta de equipamentos e de pessoal. Em depoimento no inquérito policial, afirmou que o estado e a Secretaria de Segurança Pública do Rio Grande do Sul também deveriam ser responsabilizados pelo episódio.

* * *

Quando o inquérito policial foi concluído, havia grande expectativa entre os familiares das 242 vítimas sobre a continuidade do rito processual. Remetida ao Ministério Público, a investigação passou a ser analisada pelos promotores Joel Oliveira Dutra e Maurício Trevisan, que, em 2 de abril de 2013, denunciaram apenas oito dos dezoito indiciados pela Polícia Civil. Além dos sócios Kiko e Mauro, do produtor de palco Luciano e do músico Marcelo de Jesus, que estavam presos preventivamente na Penitenciária Estadual de Santa Maria, acusados de homicídio doloso, os promotores denunciaram dois bombeiros por fraude processual e outras duas pessoas ligadas à Kiss por afirmações falsas.

No caso dos familiares de Kiko e dos agentes públicos indiciados pela Polícia Civil, os promotores não ofereceram denúncia. Quanto às duas mulheres que apareciam no contrato social da Kiss, a mãe e a irmã de Kiko, o Ministério Público justificou que para

> [...] implicá-las como responsáveis criminais pelo evento há que se demonstrar que tiveram efetiva contribuição na implantação do cenário que resultou no fogo e nas mortes, ou seja, que, assim como os ora denunciados Elissandro [Kiko] e Mauro, tiveram elas poder de mando e de veto em situações determinantes como a escolha e o modo empírico de instalação da espuma queimada e geradora dos gases ensejadores da asfixia.

Em relação ao secretário de Controle e Mobilidade Urbana do município e ao superintendente de Fiscalização, os promotores explicaram que não se podia concluir que tivessem sido negligentes e por isso eles não poderiam ser incluídos no rol dos responsáveis criminais pelo evento, porque isso não restou comprovado nos depoimentos nem nos documentos colhidos pela investigação. Além disso, afirmaram os promotores que, "ao tempo do evento, a Licença de Operação estava vigente", sendo, portanto, juridicamente inconsistente o indiciamento de servidor municipal. Em função disso, o Ministério Público requereu o arquivamento do inquérito policial referente a dois servidores municipais e ao gerente da Kiss na época dos fatos, determinando o cancelamento dos indiciamentos no banco de dados.

Em relação à inspeção dos bombeiros e à presença de guarda-corpos dentro da Kiss, a promotoria concluiu que os que efetivamente impediam o acesso dos frequentadores à única porta de entrada e saída da boate foram instalados em data posterior à vistoria dos bombeiros e que os instalados antes da inspeção "não foram os determinantes diretos e principais das dificuldades de evacuação, dadas suas posições de instalação".

O relatório do Ministério Público causou uma forte reação popular, principalmente por parte das famílias que perderam seus filhos. Para elas, o pedido de arquivamento parcial do inquérito em relação aos servidores municipais restringia a possibilidade de apuração da conduta dos agentes públicos, que não seriam sequer levados a julgamento. Iniciava-se aí um capítulo à parte no desenrolar das investigações: os pais das vítimas perderam a confiança no Ministério Público e na capacidade dos promotores de aplicar a lei. Pior: quatro pais foram processados pela promotoria por calúnia e difamação, já que, no bojo da tragédia, fizeram críticas públicas à atuação do órgão.

Em 2015, os representantes do Ministério Público Joel Dutra e Maurício Trevisan ingressaram então na Justiça com ação contra Paulo Carvalho, pai de Rafael, morto na Kiss, após publicação de artigo no *Jornal Diário de Santa Maria* no qual Paulo afirmava que, "mesmo com todos os indícios de envolvimento do prefeito e de seus secretários", foi pedido arquivamento do processo de improbidade administrativa.

Para Joel Dutra, as críticas "passaram do ponto":

— O nosso afastamento, vamos dizer assim, das famílias das vítimas começou a partir do momento em que a nossa interpretação foi bastante diferente da interpretação da Polícia Civil. E, com o passar do tempo, as coisas foram se tornando mais complicadas. Em uma audiência pública em Santa Maria houve muita hostilidade [por parte das famílias] com relação à atuação do Ministério Público. Isso é passível de entendimento. O que aconteceu para que se chegasse ao ponto de entrar com processo criminal é que passou do ponto, vamos dizer assim. Tanto é que a gente somente fez o registro e o Ministério Público entrou com o processo criminal praticamente três anos depois da tragédia, porque as coisas passaram da mera crítica para o crime, para a ofensa. Esta questão que envolve o meu nome com relação a um dos pais é que ele fez uma matéria no jornal me chamando de prevaricador, e prevaricar é crime. Está tipificado no Código Penal. Enquanto houve um certo limite de críticas, de um acirramento com relação à conduta dos pais, a gente se limitou a ouvir, a tentar entender. Mas a partir do momento em que há uma exposição pública, uma acusação pública de que nós éramos criminosos, aí a coisa passa de um limite. A partir do momento em que houve muito mais do que uma simples crítica, eu não podia simplesmente deixar que fizessem o que quisessem, porque nós estamos em uma democracia e não é em nome de uma dor imensa, que a gente respeita, que eu vou poder deixar que eles façam, inclusive, atos criminosos para justificar a dor. Em segundo lugar, que é o mais importante para mim, é que eu tenho honras.

Joel Dutra afirmou ainda que todas as representações feitas pelos pais contra a atuação dele foram arquivadas.

— Talvez o processo da Kiss, as nossas manifestações, as manifestações do Ministério Público tenham sido as mais analisadas pela história do país, porque foram examinadas por muita gente. E todos esses exames por outras instâncias foram acolhidos no sentido de não haver qualquer irregularidade. Então, eu tenho a minha consciência absolutamente tranquila — argumentou o promotor.

As ações contra Paulo e outros três pais repercutiram muito mal junto à opinião pública. Uma campanha realizada em 2017 com o slogan "Somos Todos Pais Kiss" mobilizou a classe artística, viralizando na internet. Antes dela, o Ministério Público tentou fazer um acordo com os pais processados. Retirariam o processo se eles, entre outras coisas, fizessem uma retratação pública. Nenhum dos quatro aceitou a proposta. Além de Paulo, também foram processados pelo Ministério Público por calúnia e difamação Sérgio da Silva, pai de Guto, Flávio José da Silva, pai de Andrielle, e Marta Beuren, mãe de Silvinho.

No caso de Sérgio e Flávio, que são, respectivamente, presidente e vice-presidente da Associação de Familiares de Vítimas e Sobreviventes da Tragédia de Santa Maria, o autor da ação é o promotor Ricardo Lozza, que conduziu o inquérito de poluição sonora na boate. Em uma manifestação, Sérgio e Flávio afirmaram em cartazes com a foto de Lozza que ele sabia das irregularidades existentes na boate, pois conduzia o inquérito de poluição sonora na Kiss.

Contra Marta, entraram com ação o promotor aposentado João Marcos Adede y Castro e seu filho, o advogado Ricardo Luís Schultz. Adede foi o primeiro a conduzir o inquérito de poluição sonora contra a Kiss, em 2009. Em artigo publicado em um jornal de Santa Maria, Marta revelou que o filho do promotor aposentado tornara-se advogado da boate após o pai deixar de exercer as suas funções no inquérito civil que instaurara, em razão da redistribuição das atribuições das promotorias de Justiça de Santa Maria.

Para tentar encerrar a polêmica, o Ministério Público protocolou, no primeiro semestre de 2017, um pedido de absolvição dos pais, contestado pelos próprios processados. Afinal, não viam sentido em serem "perdoados" diante da convicção de que estavam falando a verdade. Queriam que a Justiça decidisse a questão com base, precisamente, em uma faculdade jurídica conhecida como exceção da verdade.

Dito e feito. A criminalização dos pais não foi aceita pela Justiça. Em julho de 2017, o juiz da 2ª Vara Criminal de Santa Maria, Leandro Augusto Sassi, absolveu Paulo Carvalho da acusação de calúnia e difamação contra o Ministério Público. Afirmou, na sentença, que Paulo não tinha dolo de imputar, falsamente, nenhum fato desabonatório a ninguém. E concluiu:

> Quantas vezes dizemos o que pensamos e vemos ao fim o quão errado estávamos, mas, mesmo assim, deve sempre nos ser resguardado o sagrado direito de dizer. Sombrios os tempos em que as liberdades eram tolhidas, os textos censurados, os pensadores exilados, os corajosos torturados e desaparecidos. Oxalá esse tempo nunca mais volte!

Marta Beuren também foi absolvida na mesma época que Paulo. O juiz da 3ª Vara Cível de Santa Maria, Carlos Alberto Ely Fontela, considerou que as declarações feitas pela mãe de Silvinho estavam dentro do âmbito de proteção do direito constitucional de liberdade de expressão e de pensamento. Flávio e Sérgio ainda aguardam o julgamento da ação movida contra eles por Lozza.

Ainda em 2017, os familiares das vítimas e dos sobreviventes da Kiss assistiram à sanção da Lei nº 13.425. Conhecida como Lei Kiss, ela já nasceu retalhada. Embora defina normas mais rígidas de prevenção e combate a incêndio em estabelecimentos, edificações e áreas de reunião de público em todo o país, ela foi aprovada pelo presidente Michel Temer com doze vetos, como a proibição do uso de comandas em casas noturnas e a criminalização de agentes públicos que falharem na prevenção e combate a incêndios e desastres. Ou seja, na prática, se o comportamento em relação ao bem-estar coletivo não mudar, nenhuma lei será capaz de evitar novas tragédias.

No caso da boate Kiss, os quatro acusados pelo incêndio na casa noturna respondem em liberdade aos crimes a eles imputados. No início de 2017, o Tribunal de Justiça do Rio Grande do Sul decidiu que Elissandro Spohr, o Kiko, Mauro Hoffmann, Luciano Bonilha e Marcelo de Jesus deveriam ir a júri popular por homicídio de 242 pessoas e pela tentativa de homicídio de outras 636. Um recurso da defesa, no entanto, contestando a sentença, foi julgado no fim do ano. A decisão beneficiou os acusados. O Ministério Público, no entanto, recorreu, conseguindo reverter a decisão no Superior Tribunal de Justiça (STJ) em 2019. Na ocasião, a 6ª turma do STJ reconheceu evidências de dolo eventual na conduta dos quatro denunciados. Por unanimidade, os ministros deram provimento ao recurso especial do MP e da Associação dos Familiares de Vítimas e Sobreviventes da Tragédia de Santa Maria (AVTSM).

O Júri Popular foi então marcado para março de 2020, porém, em função da pandemia de Covid-19, que deixou mais de 600 mil mortos no Brasil, o julgamento foi adiado.

Em 1º de dezembro de 2021, quase nove anos após o incêndio na boate, o julgamento teve início em Porto Alegre. Depois de dez dias de intenso sofrimento para os pais das vítimas, que acompanharam as sessões sem poder se manifestar, os quatro réus foram condenados. As penas variaram de 18 a 22 anos de prisão.

Em agosto de 2022 houve uma nova reviravolta no processo. A 1ª Câmara Criminal do Tribunal de Justiça do Rio Grande do Sul acolheu recurso da defesa dos réus e anulou o julgamento, alegando a ocorrência de diversas nulidades. Ainda cabe recurso. Na prática, os acusados pelo incêndio foram soltos novamente e aguardam em liberdade que um novo julgamento seja marcado. Como não há uma data definida, o caso corre risco de prescrever.

* * *

Indicado a secretário de Segurança Pública do Rio Grande do Sul, cargo que ocupou de setembro de 2016 até o início de janeiro de 2019, o ex-prefeito Cezar Augusto Schirmer falou, com cautela, do episódio que marcou sua carreira política, iniciada aos 20 anos, quando foi eleito o vereador mais jovem da cidade. Ele afirmou que nenhuma prefeitura foi tão investigada quanto a sua e contou que questionou o porquê de a tragédia da Kiss ter ocorrido em sua cidade natal durante sua gestão política.

— Foi uma das minhas filhas quem me disse: "Pai, sabe-se lá se não foi Deus quem te deu essa tarefa: ajudar a tua cidade a se recuperar?" Isso me deu a compreensão do meu papel. Eu sou um homem público consciente da minha missão. Minha missão era ser prefeito nessa circunstância. Eu não tinha responsabilidade, não autorizei a boate. Não conheço a boate, nunca vi a boate, sei lá, não tenho nada a ver com esse assunto. Caiu no meu colo, então, faz o que tu tens que fazer. O que eu tenho que fazer? Reconstruir, pacificar, ajudar os sobreviventes, dar condições de saúde, enfim, sei lá, consolar.

Apesar de dizer compreender seu papel, a postura de Schirmer não foi compreendida pela sociedade. Os pais questionam o fato de ele não ter levado à frente nenhuma sindicância interna para a apuração do episódio.

— Por que nós vamos nos investigar se nós estamos sendo investigados? Imagina se eu abro sindicância e a sindicância conclui que está tudo certo e a polícia e o Ministério Público concluem que está tudo errado? Então, a minha opção foi aguardar — explicou.

Quanto ao sentimento em relação ao episódio, definiu:

— As pessoas diziam: "Ah, mas tu não falas". Imagina se eu começasse a brigar com os bombeiros, com o promotor, com o juiz, com o delegado. A cidade ia incendiar. Então, eu me autoimpus um silêncio.

Para muitos, no entanto, o silêncio do prefeito foi interpretado como falta de empatia com a dor dos pais.

— Não, não, não — disse ele. — Eu criei o Acolhe, eu recebi as famílias, fiz tudo o que era possível fazer.

Sobre um desejado pedido de desculpas que nunca foi feito a nenhuma família, ele concluiu:

— Eu acho que a gente pede desculpas por alguma coisa que tu tenhas cometido, uma ilegalidade, algum erro, alguma descortesia. Eu até posso pedir desculpas, não custa nada. Mas desculpas pelo quê?

XV. Quarenta segundos

Maike Adriel dos Santos estava desconfortável aquela noite. Estudante de Desenho Industrial na UFSM, ele não queria ir à Kiss. Mas não podia recusar o convite de uma de suas melhores amigas, Andrielle Righi da Silva, que comemoraria na boate, ao lado de outras quatro meninas (Mirela, Flavinha, Gilmara e Vitória), seu aniversário de 22 anos. Como ela era uma das aniversariantes da semana presentes na boate — além de Andrielle havia outras dezoito pessoas aniversariando naquele dia —, o universitário não precisou pagar entrada. Com ele estavam Merylin Camargo dos Santos e Danrlei Darin. Ao todo, o grupo somava oito jovens. Ao contrário de Maike, Andrielle estava muito animada para assistir à banda Pimenta & Seus Comparsas, da qual era fã. Os quatro meninos de Ijuí tocariam pela primeira vez na casa noturna e ela não perderia isso por nada.

Quando os guris de Ijuí se posicionaram no palco, estavam eufóricos. Depois de a data do show ter sido alterada três vezes, eles estreariam na Kiss com o pé direito, já que havia cerca de mil pessoas na plateia. A banda abriria a noite, que teria ainda a presença da Gurizada Fandangueira, veterana na Kiss.

Andrielle, Vitória, Mirela, Flavinha e Gilmara dançavam próximas ao palco quando Vitória entregou ao vocalista e guitarrista Valterson Wottrich um pedido: "Tem uma menina que faz aniversário, a 'mana' Andrielle. Ela adora a música 'Borracho y loco'. Tu podes tocar pra ela?". O bilhete foi lido pelo cantor, que, em seguida, parou o show:

— Esta música vai para a Andrielle, que está de aniversário esta noite.

Vitória e a "mana" se abraçaram, emocionadas. Logo a comemoração das duas terminou em choro emocionado e abraço coletivo entre as cinco amigas. Elas estavam felizes, curtindo o momento numa idade em que os sentimentos estão à flor da pele. E ali, naquele instante, era como se a Pimenta & Seus Comparsas estivesse tocando só para elas. Principalmente naquela noite, elas se sentiam muito especiais. Andrielle, que adorava calça jeans e tênis, até estava usando vestido e salto alto.

Já Maike não gostava do estilo musical daquela festa. Preferia rock pesado. Ainda assim, foi com as meninas para a frente do palco. Como considerava Andrielle uma grande amiga, ficou contente por ela. Pelo menos alguém estava se divertindo. Ele, no entanto, sentia-se estranho, preocupado, como se estivesse em alerta. Não sabia explicar o motivo daquela sensação, que o acompanhou durante toda a noite. Ele era um peixe fora d'água. Sua cabeça estava fora da boate.

"Borracho y loco" foi a última música daquele show. Maike percebeu que ao final da apresentação a casa noturna tinha ficado ainda mais cheia. Ele já não podia ver o piso e era impossível caminhar sem esbarrar nas pessoas, sem ter que pedir licença. Para chegar ao bar, em outro ambiente, ou ir ao banheiro, era preciso se espremer entre a multidão. A falta de espaço o incomodava. Nem os músicos conseguiram tirar seus equipamentos do palco. A boate estava tão abarrotada de gente que seria preciso esperar no camarim até o fim do segundo show da noite, o da Gurizada Fandangueira, para que todo o material pudesse ser recolhido. Os quatro músicos da Pimenta & Seus Comparsas passaram, então, pela lateral da área VIP até chegar às escadas que davam acesso ao camarim, um cômodo apertado e com pouca ventilação no piso superior. Aquilo parecia um labirinto.

Eram mais de duas horas da manhã quando começou a soar música eletrônica na Kiss durante o intervalo que antecedia a apresentação da Gurizada Fandangueira. O grupo que tocava forró universitário e tinha uma legião de fãs foi contratado para subir ao palco naquela noite por R$ 800. Pouco antes das três horas, Marcelo de Jesus dos Santos, o vocalista, saudou os jovens no início da festa.

— É um prazer enorme... Vocês estão de parabéns, a festa está tão animada hoje. Orgulho imenso de estar aqui fazendo este show pra vocês... Mais uma vez a Gurizada Fandangueira [...]. Agora eu vou fazer uma pergunta pra vocês. Quem é que gosta de sacanagem? Alguém já fez sacanagem pra valer? [...] É um sucesso novo que está chegando.

Em seguida, a banda começou a tocar "Fazendo coisa boa", do grupo Tchê Garotos.

— Hoje no barraco vai rolar bobagem,/ na minha cabeça tá passando sacanagem...

Cinco luzes do palco iluminavam a plateia. Ao lado de Marcelo, o gaiteiro Danilo Jaques tocava e dançava.

Fazia quase meia hora que o doutorando em Veterinária Gustavo Cadore tinha entrado na boate. Ele resolvera esticar a noite na Kiss. Logo que pisou na casa noturna, entretanto, ficou impressionado com a quantidade de gente. Já havia estado na casa outras cinco vezes, mas era a primeira em que não conseguia se mexer. Incomodado, sugeriu a um amigo que fora à festa com ele pagarem mais caro para acessar a área VIP. O amigo topou e eles foram seguidos por dois conhecidos que encontraram na boate. Os quatro decidiram que não se espremeriam até o bar. Pediriam uma garrafa de vodca no local reservado. Eram três e dez da manhã quando Gustavo serviu a bebida. O amigo que o acompanhava dirigiu-se ao banheiro.

Silvinho Meuren chegou à boate com duas conhecidas e um amigo por volta das duas e meia, mesmo horário que Gustavo Cadore. José Manuel, que também estava em outra festa, entrou na Kiss durante a madrugada. Mirela, a irmã dele, já estava lá. Guto, o filho de Nadir e Sérgio, decidiu passar uma mensagem para o irmão, Júlio, que estava em um aniversário, para avisar que se atrasaria. Lucas Dias de Oliveira e a namorada, Yasmin Müller, comemoravam o aniversário dela. Patrícia, que queria se encontrar com a irmã, Greicy, chegou com o marido um pouco antes do show da Gurizada.

Vitória estava preocupada com o horário, pois tinha combinado com a mãe, Vanda, chegar em casa às três horas. Elas viajariam em seguida para Palmeira das Missões, onde a jovem cursava Nutrição. A universitária precisava entregar um trabalho na segunda-feira e, por causa desse compromisso, ela e Andrielle avisaram a Maike que se prepararia para sair — iam apenas se despedir de outras amigas que haviam encontrado na boate e se reuniriam, em seguida, para deixar a casa noturna.

Maike disse a Andrielle que iria com Merylin e Danrlei até os fundos da boate, no pub, para conversar com uns conhecidos. Logo se reencontrariam para ir embora também. De onde estava, Maike não conseguia enxergar o palco. Desde que saíra de perto de Andrielle e das gurias, haviam se passado cerca de vinte minutos. Foi quando ele olhou para o teto da boate e viu uma espécie de "gelo seco" no ambiente começando a ficar enfumaçado. Ainda assim não se alarmou.

Lá no palco, porém, havia uma movimentação estranha. Às três horas e dezessete minutos, o produtor de palco Luciano Augusto Bonilha Leão — que receberia R$ 50 dos R$ 800 combinados pelo show na Kiss — colocou uma luva na mão do vocalista Marcelo de Jesus dos Santos para o grande momento da noite: o acionamento de um fogo de artifício através de uma espécie de sensor. Além desse sinalizador, havia outros fogos de artifício dispostos na lateral do palco. Dois dias antes, o próprio Luciano comprara na empresa Kaboom material para o show pirotécnico da banda: duas caixas de Sputnik, duas unidades de Skib e duas de Chuva de Prata. Em média, o valor do produto conhecido como Chuva de Prata, cujo uso só é recomendável em áreas externas, sai a R$ 2,50 a unidade. Os fogos Indoor, próprios para ambientes internos, custavam bem mais: cerca de R$ 50.

Segurando um desses fogos, identificado como Chuva de Prata 6, Marcelo movimentou a mão esquerda já com o artefato pirotécnico aceso por Luciano.

— Um, dois, três, quatro/ Pra ficar maneiro eu jogo o clima lá no alto/ Alto em cima, alto em cima — cantou Marcelo no trecho da música "Amor de chocolate", do cantor Naldo.

A faísca do fogo de artifício alcançou o forro, onde a esponja do isolamento acústico era feita de poliuretano. O material era aquele proveniente de espuma de colchão que fora aplicado acima do palco seis meses antes pelo barman da boate com a ajuda de outros dois funcionários. Por ser altamente inflamável, as chamas se alastraram rapidamente pelo teto do palco e pelas paredes laterais.

Marcelo foi avisado pelo irmão, Márcio André Santos, percussionista da banda, sobre o incêndio. Um segurança da Kiss pegou um dos cinco extintores da boate, retirou o lacre e o repassou ao vocalista, mas o equipamento foi rapidamente descartado sem uso. Uma das hipóteses é que o extintor não funcionou. Outra é que nem o segurança nem o cantor souberam manuseá-lo. Uma garrafa de água mineral foi utilizada por Márcio para tentar conter o fogo. Frequentadores que estavam em frente ao palco começaram a gritar e a vaiar, já que eles não conseguiram apagar as chamas:

— Incêndio... A Babilônia — berrou alguém da plateia.

Marcelo olhou para cima por alguns instantes e decidiu sair.

— Vamos embora — afirmou, abandonando o palco sem avisar o público sobre o incêndio e procurando a saída.

Em depoimento à polícia, ele disse que não avisou o público sobre o início do incêndio por ter pensado que o som do microfone fora afetado. Afirmou, ainda, ter desmaiado no interior da Kiss e recuperado a consciência fora da boate. Já o gaiteiro Danilo Jaques, 28 anos, estava com sua sanfona presa no corpo. Na correria, ele caiu no chão, ficando para trás. Danilo não sairia da Kiss com vida.

A distância do palco até a única porta de acesso à Kiss é de apenas 32 passos. Mas, com a superlotação, a deficiência na sinalização de emergência e a existência de guarda-corpos por todo o trajeto, inclusive na entrada da casa noturna, achar a saída ao lado de cerca de mil pessoas, simultaneamente, era quase impossível. Iniciou-se, então, uma correria.

— Vai, vai, vai — gritavam frequentadores que tentavam se afastar da área incendiada.

Logo em seguida, Maike ouviu um barulho forte, como uma microfonia, e um grito:

— Sai! É fogo!

— Mery, vamos — avisou para Merylin, pedindo à amiga que fosse na frente. — Isso não deve ser uma brincadeira.

Nesse momento, Maike, Merylin e Danrlei deram-se as mãos. Danrlei estava na frente, Mery no meio e Maike seguia atrás. No meio da confusão, eles apertaram os dedos para não se perderem um do outro.

Maike não conseguia enxergar Andrielle e suas companheiras. Quando ele, a amiga e o amigo passaram pelo bar principal, o caos havia tomado conta da boate. Todos tentavam sair, mas não havia para onde correr. Os frequentadores se empurravam. Quarenta segundos depois do início das chamas, a fumaça preta já encobria inteiramente o ambiente. Todos os exaustores estavam obstruídos, impedindo a dispersão da fumaça. Ninguém enxergou mais nada. Em seguida, as luzes se apagaram. O pânico tomou conta dos jovens.

Pensando tratar-se de uma briga generalizada, Marfisa Soares Caminha, que trabalhava na Kiss como caixa, trancou a porta de acesso ao cômodo em que estava, na tentativa de se proteger. Ela morreria ali a menos de um metro da saída. Sem radiocomunicadores, seguranças da boate que não sabiam o que estava acontecendo fecharam as portas para impedir que os frequentadores saíssem sem pagar a comanda de consumação. Desesperados, os jovens informaram sobre o incêndio. Sem visibilidade para o palco, eles demoraram alguns segundos para liberar a saída.

Maike e os amigos começaram a ser empurrados na direção da porta de entrada, cujas dimensões eram insuficientes para dar vazão às pessoas. O calor sufocante já podia ser sentido. Maike estava sendo esmagado pela multidão. Na frente dele havia um rapaz mais alto. Acabou sendo pressionado contra as costas desse homem. A força dos que vinham atrás era tão grande que era como se ele fosse se partir ao meio. A fumaça fazia arder os olhos. Maike tentava buscar ar, mas sua garganta queimava.

— Mery, vai rápido, rápido — pedia.

Quase sem forças para continuar, Maike sentiu a mão da amiga escapar da sua.

Desse momento em diante, ele não viu mais nada. Desmaiou em meio à multidão. Acordou na rua, desorientado, sem a jaqueta marrom de couro que usava. Estava só de calça e tênis. Naquele instante, o universitário não fazia a mínima ideia de que todos os sete amigos que entraram com ele na boate morreriam.

* * *

Gustavo Cadore estava na área VIP quase em frente ao palco quando o fogo teve início. Sem noção da gravidade do incêndio, e julgando estar "protegido" por barras de contenção que, mais tarde, impediriam a saída de centenas de jovens, ele decidiu esperar um pouco. Acreditava que se saísse em meio ao tumulto acabaria pisoteado. O veterinário, no entanto, começou a se assustar quando percebeu que as chamas não tinham sido apagadas e se espalhavam rapidamente pelo teto e pelas paredes.

Como o amigo não chegava do banheiro, ele resolveu aguardar, mas o calor só aumentava. Os dois se encontraram próximo à área VIP, porém o amigo de Gustavo não sabia o que tinha ocorrido.

— Vamos embora, porque vai incendiar.

— Meu Deus, vai incendiar mesmo — repetiu o jovem ao ver a extensão do fogo.

Quando se preparavam para correr ouviram um estrondo, e foi naquele instante que a boate ficou às escuras. Como havia esquecido o celular em casa, Gustavo não tinha meios de iluminar o trajeto. Daquele minuto em diante, o veterinário e o amigo não se viram mais.

Gustavo perdeu a noção de onde estava. O breu só era quebrado pelo clarão laranja das chamas. Tentou correr, no entanto, acabou atropelado, como temia. Caído de lado, quis se levantar, mas dezenas de pessoas passavam por cima dele. Fez muita força para sair do chão e acabou tomado por desespero ao perceber que não conseguiria se mexer.

No meio do caos, foi chutado no peito. A pancada foi tão forte que o jogou próximo a uma das mesas fixas que ficavam junto às barras de contenção de um guarda-corpo. Usou a mesa como suporte para se levantar. Quando finalmente ficou de pé, constatou que a temperatura era elevadíssima. Sem conseguir respirar direito, o veterinário foi perdendo as forças. Toda vez que tentava puxar o ar, tinha a sensação de estar respirando fogo.

— Bah, eu preciso achar a saída — dizia para si mesmo tentando resistir.

Decidiu buscar outro caminho. Tateando pela parede lateral que dava acesso à escada do camarim, de onde dois dos quatro músicos da Pimenta & Seus Comparsas não conseguiriam sair, Gustavo tinha certeza de que se continuasse aspirando aquela fumaça não aguentaria fugir. Instintivamente, retirou a camisa para colocar sobre o rosto. A todo momento ouvia barulho de coisas despencando, garrafas quebrando e gente gritando. Seus braços foram gravemente atingidos por um material incandescente que caiu do teto. Vestiu a camisa de volta e continuou perdido em meio à escuridão. Foi quando encontrou uma porta. Pelo vão dela, enxergou claridade. Devia estar próximo da saída.

Desesperado, segurou a maçaneta. O metal estava fervendo. Apesar de sentir a mão queimando, continuou fazendo força para tentar abrir. A porta, no entanto, estava trancada. "Vou morrer nesse lugar", pensou, desesperado. Naquele momento extremo, lembrou-se de sua família. "Não posso decepcionar meus pais", dizia para si mesmo a todo instante. "Não posso morrer aqui", repetia.

Olhou para a lateral e viu uma luz em meio à fumaça. De longe, ele notou também que havia muitas cabeças se espremendo para sair. "Não adianta gritar, porque, se eu gritar, eu vou perder fôlego e ter que respirar mais vezes", pensou, como se conversasse consigo mesmo. "Preciso me manter calmo", repetia, mentalmente, embora tivesse a sensação de que estava se "afogando".

Já não aguentava mais. Em breve perderia os sentidos. "Eu vou ter que sair", continuou dizendo. Nesse instante tomou a decisão mais difícil da sua vida: empurrar todos os que estavam a sua frente. Movido pelo instinto de sobrevivência, ele usou de toda a energia que lhe restava. Estava se aproximando da porta, já podia ver uma réstia de luz vinda do lado de fora. Não sabia se daria para chegar até lá. Tinha a sensação de estar adormecendo.

Cambaleante, conseguiu cruzar a entrada. Quando afinal deixou a boate, estava sufocando. Já na rua dos Andradas, sofreu um apagão. Minutos depois, ao retomar os sentidos, se viu sentado no meio-fio, desnorteado, chorando muito. Sobrevivera à Kiss. Seu amigo, descobriria depois, igualmente escapara.

Maike também escaparia. Mas o drama deles e de outros 636 sobreviventes que precisariam ir para o hospital estava só começando.

XVI. Tenda da resistência

Para as vítimas indiretas do incêndio na Kiss, resistir não é uma escolha, mas um imperativo de sobrevivência. Resistir ao cansaço da espera por alguém que não voltará, ao silêncio imposto pela ausência, à dor que teima em ficar, por mais que se queira livrar-se dela. Resistir não só à perda, mas ao esquecimento, que busca sepultar os erros que contribuíram para que o dia 27 de janeiro de 2013 não terminasse para mais de duzentas pessoas. A construção da memória do pior desastre provocado pelo homem na história recente do Brasil é necessária. Só assim o país poderá lidar de frente com as causas e as consequências de uma tragédia que envergonha pela matança e pela impunidade. A desapropriação do prédio onde a boate funcionava, formalizada em julho de 2017 pela Prefeitura de Santa Maria, abre caminho para uma reparação em forma de memorial que preservará justamente a lembrança da vida.

Se a recordação de uma tragédia é dolorosa, imagine carregá-la dentro de si. As mães de Santa Maria sabem perfeitamente o que é isso. Aliás, só elas conseguem dimensionar a devastação causada pelo esquecimento do som da risada de um filho. A consultora ótica Lívia Oliveira já não consegue lembrar o barulho do riso de Heitor. E isso a consome. Seu consolo foi ter, finalmente, descoberto na flor-do-campo um aroma familiar. Pouco depois da morte do jovem, ela recebeu um arranjo em casa. Foi tomada de surpresa ao perceber, pela primeira vez, que elas exalavam o tal cheiro de mel ao qual ele se referia. Era como se ele a presenteasse depois da morte. Hoje, Lívia sente falta de tudo que experimentou ao lado de Heitor, mas principalmente de ser chamada de mãe.

A pedagoga Vanda Dacorso também lida com o medo de ver o tempo apagar a imagem de Vitória de sua memória. Por isso recorre aos inúmeros vídeos da filha gravados por ela, porque o tempo é implacável até com o amor. Embora ele não possa roubar sentimento, é, sim, capaz de tomar para si a imagem do outro, carregá-la sem piedade. Vanda jamais vai esquecer Vitória, a menina bem-humorada que escreveu sua última carta ao Papai Noel em dezembro de 2012, com o intuito de zombar das convenções sociais. Nela, a estudante de Nutrição contava ao Bom Velhinho que "salvou uma pomba de ser comida por um cachorro, ajudou uma velhinha a atravessar a rua e deu chocolate para o motorista do ônibus no Seminário de Diabetes". Por isso, diante de tantas ações "altruístas", ela finalizava a carta informando o que desejava ganhar de presente naquele Natal: "Um Camaro Amarelo".

Marta Beuren carrega dentro dela a "culpa" por não ter cedido ao desejo de abrir o caixão de Silvinho para beijá-lo mais uma vez. Seguiu à risca a orientação oficial de manter a urna fechada por causa da toxicidade da fumaça inalada pelas vítimas. Também sofre por não ouvir o barulho vindo do galpão onde Silvinho recebia os amigos no sítio. Lá fora, como ela se refere ao local onde fica a granja da família, não há mais o entra e sai de guris, nem o som das tertúlias organizadas pelo filho para homenagear os líderes da Revolução Farroupilha, tradição gaúcha comemorada com uma semana de festas campeiras. No galpão vazio, um rádio antigo fica 24 horas ligado na tentativa de enganar o silêncio.

Se pudesse, a dona de casa Maria Aparecida Neves suprimiria os domingos do calendário, dia em que a família, que incluía Augusto, se reunia no quintal da casa construída na antiga Vila São João Batista. Ela também apagaria os janeiros e todos os outros meses de aniversários familiares, pois comemorá-los não tem mais o mesmo sabor do passado. Sua meta é recomeçar a vida com o marido longe de Santa Maria, embora não tenha se dado conta de que carregará para onde for os sentimentos com os quais ainda não aprendeu a lidar.

Em momentos de tristeza intensa, a paulista Fátima Carvalho tem a sensação de que o filho Rafael vai abrir a porta de casa, como sempre fazia, anunciando, barulhento, sua chegada. Quando ele partiu, ela e o marido, Paulo Carvalho, foram surpreendidos pelo nascimento de Henrique, o filho que Rafael não teve tempo de conhecer. Xerox do pai, ele é a lembrança mais forte do caçula da família. Mas a saudade de Rafael os machuca muito, a ponto de fazer com que seus pais, apesar de juntos e apaixonados após mais de trinta anos de casamento, tenham se perdido um do outro, deixando escapar a cumplicidade da vida como casal.

Quando se viu sem Greicy e Patrícia, as duas filhas, Celita Maria Pazini Bairro perdeu o rumo. Entretanto, ela e o marido, Homero, não tiveram tempo para viver seu luto. Os dois se viram em meio a uma disputa judicial pela guarda do neto, o filho de Patrícia, vivendo por mais de três anos a angústia de perdê-lo para os avós paternos, que não aceitavam a ideia de uma guarda compartilhada. Hoje o casal foi escolhido pela Justiça para criar Gabriel, 11 anos, o menino que se viu órfão de pai e mãe aos 6. O trauma foi tão grande que ele não consegue chorar nem falar sobre os pais. Gabriel precisará de tempo e maturidade para conhecer o significado das palavras capazes de expressar o tamanho de sua perda.

Separado da esposa muitos anos antes da morte de Alan Raí e Thylan, seus dois filhos mortos na Kiss, Luís Cláudio Fernandes de Oliveira não tinha ideia de como enfrentar a solidão. Já estava casado novamente quando a tragédia ocorreu, mas enterrar os filhos foi como assistir ao próprio sepultamento. No primeiro Dia dos Pais sem os meninos, Luís Cláudio queria esconder-se de si mesmo. Pediu que ninguém falasse com ele. Foi o pai dele quem quebrou seu isolamento ao abraçá-lo.

— Filho, tu sempre serás pai — disse, chorando, o avô dos rapazes, Luiz Gonçalves de Oliveira, 73 anos.

Um ano depois do incêndio que matou os dois jovens, Luís Cláudio viu nascer Arthur, seu terceiro filho. Embora todo filho seja único, Arthur trouxe a esperança de um recomeço. Fez Luís Cláudio deixar dois dos três empregos para oferecer a ele o tempo que não teve para Alan e Thylan.

Nadir Krauspenhar da Silva e Sérgio da Silva continuam sendo quatro, mesmo com a morte de Guto. Ainda que ele não esteja mais presente, Nadir faz questão de lembrar a si mesma que ela, o marido, Júlio e Guto ainda são uma família. Para ela, é como se seu menino mais velho jamais tivesse se ausentado.

Marise e Natalício Soares preferem mirar o céu quando pensam em Lucas. Eles buscam uma parte do rapaz nas antigas brincadeiras de contar estrelas nos fundos do quintal de casa. A dor que Natalício sente não o impede de construir pipas para filhos de outros pais. Foi a forma que ele achou para continuar enxergando Lucas através dos olhos da criança que foi um dia.

Já a doceira Ligiane Righi da Silva encontrou no ato da resistência a sua maneira de impedir que Andrielle seja esquecida. Ao lado do marido, Flávio José da Silva, e de outros pais de vítimas da Kiss, ela sustenta a existência da Tenda da Vigília, na praça Saldanha Marinho, o coração de Santa Maria. A tenda foi erguida no primeiro semestre de 2013 para ser um ponto de encontro entre as pessoas afetadas pela tragédia. Mantê-la viva no Centro tem sido tão desafiador quanto o esforço para que a morte das 242 pessoas não seja apagada da memória coletiva.

Se no começo a tenda era um símbolo de luta e resiliência, rapidamente passou a ser sinônimo de incômodo. Passar em frente a ela e ter que enxergá-la exige olhar a perda do outro, estabelecer empatia. Apesar de todo o movimento político para retirá-la da praça, nada foi mais duro do que perceber a indiferença alheia. É que a dor dói mais quando é ignorada. Os pais das vítimas e a tenda sob a qual eles agasalham o sonho de justiça passaram a ser vistos como estorvos. Se a cidade não crescia mais do ponto de vista econômico, a "culpa" era dos familiares que se recusavam a virar a página, como se a história vivida pudesse ser levada como cinzas. Como se a aceitação pudesse ser confundida com o conformismo, como se a omissão não gerasse a indignação.

Foi debaixo da tenda, aberta todas as quartas-feiras, que Ligiane e outros pais sentiram na pele os maiores ataques:

— Vocês só pensam no próprio umbigo. Todo mundo morre um dia — disse uma moradora do município, inconformada com a lembrança permanente do evento. — O que querem com isso? Vocês estão parando a cidade.

— Os verdadeiros culpados pelo que aconteceu são vocês, pais, que não sabiam onde os filhos estavam, que deixaram que eles frequentassem boates — afirmou outra pessoa.

— Está na hora de libertarem seus filhos. Deixá-los em paz — declarou um transeunte.

Ligiane e os outros familiares reagiam a cada agressão com a coragem de permanecer naquele espaço, de ganhar as ruas para falar da tragédia sobre a qual eles se recusam a silenciar.

— O que tu fazes aqui? — perguntou uma mulher para Ligiane em uma dessas quartas-feiras.

— Estou lutando pela memória da minha filha, para que não aconteça com outras pessoas o que aconteceu com ela — respondeu.

— Tá, mas ela morreu.

— Sim, ela morreu.

— Ela não vai voltar — insistia a mulher.

— Mas eu não quero que aconteça de novo.

— Se ela estivesse em uma igreja poderia ter sido diferente...

Ligiane deixou que a desconhecida falasse tudo o que queria. Ao final, a doceira colocou a mão no ombro dela.

— A senhora está bem?

— Estou, por quê? — perguntou a outra, irritada.

— A senhora se sentiu melhor despejando sua raiva em mim?

A mulher ficou muda.

— A senhora tem filhos?

— Tenho, claro. Deus me livre se acontecesse isso com a minha filha. Eu morreria.

— Então chega em casa e dá um abraço nela, porque eu não posso mais fazer isso.

Envergonhada, a mulher foi embora.

Tempos depois, Ligiane recebeu uma visita na vigília.

— A senhora sabe quem eu sou?

A doceira olhou para aquela jovem sem conseguir identificá-la.

— Eu sou a Adriele Roth da Silva. Meu nome estava na lista do Hospital Universitário quando a senhora foi procurar a sua filha. Minha tia me disse que a senhora perguntou ao porteiro se a Andrielle que estava lá ela era baixinha, mas ele informou que era uma menina alta.

Ligiane ficou surpresa.

— Obrigada por não ficar brava por eu não ser a Andrielle que a senhora procurava. Minha tia contou que, ao ver meu nome na lista, a senhora demonstrou muita esperança de encontrar sua filha viva.

— Está tudo certo, Adriele. Não era para ser. Era para tu estares lá em vez dela. Estou feliz porque tu vieste me abraçar.

Ao entrar em casa naquela noite, Ligiane ligou o interruptor do quarto de Andrielle, como faz todos os dias desde aquele 27. Durante as madrugadas, a luz do cômodo onde a filha dormiu por 22 anos permanece acesa. É sua forma de lidar com a ausência dela.

Quantos quartos em Santa Maria estarão com as luzes acesas agora?

Agradecimentos

Aos familiares das vítimas e aos sobreviventes da Kiss, por terem me dado a oportunidade de conhecer vocês e seus filhos, me proporcionando os momentos mais emocionantes da minha carreira.

Aos profissionais da saúde de Santa Maria, por confiarem na minha escuta.

Ao querido psiquiatra Gilson Mafacioli, por estar a meu lado em muitas das entrevistas realizadas para este livro.

A Santa Maria, por fazer com que eu me sentisse em casa, apesar de todo o frio de "renguear cusco".

Ao jornalista Marcelo Canellas, por sua generosidade e seu comprometimento humano com esta e todas as suas narrativas.

À fotógrafa Marizilda Cruppe, por sua sensibilidade em captar o que não é possível perceber à primeira vista: a alma humana.

Aos amigos da editora Intrínseca, por esta delicada e feliz parceria.

Ao radialista Marcos Moreno, por ter me despertado para este tema e por me fazer acreditar que eu precisava contar esta história.

À jornalista Denise Gonçalves, por mais uma vez empregar seu tempo e seu talento em um projeto tão doloroso como o deste livro. Por me ajudar a cada capítulo...

Aos amigos Lilian Pace, Marise Baesso e Paulo César Magela, por compartilharem comigo a paixão devastadora pelo jornalismo.

Ao dr. Juracy Neves, presidente da *Tribuna de Minas*, a quem renovo a minha gratidão.

A minha mãe, Sônia, e meu padrasto, Domingues, por me darem as mãos para enfrentar os desafios que ainda me despertam medo.

A meu pai, José Arbex, por torcer por mim com mais força do que para o Flamengo, seu time do coração.

A dona Isabel Salomão de Campos, presidente da Comunidade Espírita A Casa do Caminho, por ser um exemplo de amor cristão e também meu porto seguro.

Em especial, a meu marido, Marco Soares, e a nosso lindo filho, Diego, por existirem e darem sentido à letra da música de Oswaldo Montenegro: "Pois metade de mim é amor.../ e a outra metade também."

Protesto na porta da boate Kiss, onde um incêndio considerado o segundo maior do Brasil em número de óbitos acabou levando à morte 242 pessoas, a maioria por envenenamento.

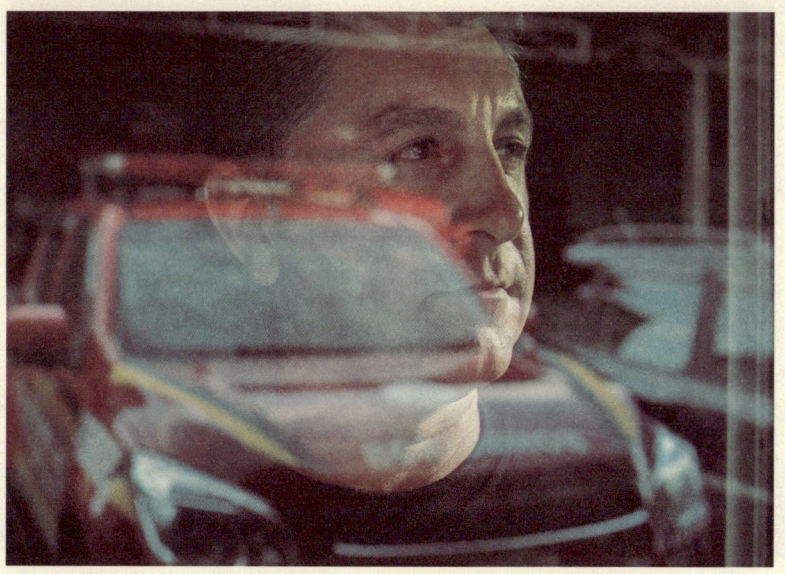

O bombeiro Robson Müller contava com seis homens e seis alunos para salvar centenas de pessoas. Foi processado por não ter impedido que jovens voltassem à Kiss e acabou sendo absolvido.

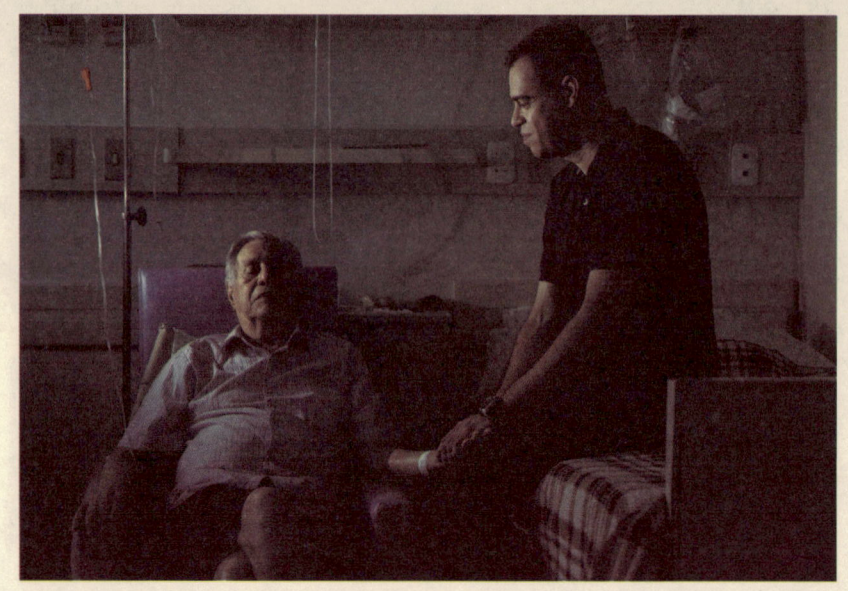

O médico Carlos Dornelles organizou com a FAB a operação de transporte das vítimas mais graves do Hospital de Caridade para Porto Alegre. Ele volta ao hospital para cuidar do avô.

Depois de escapar do incêndio, Gustavo Cadore caminhava para casa quando foi alertado por uma mulher sobre seus ferimentos. Após nove dias em coma, soube que havia queimado 40% do corpo.

Maike dos Santos comemorava o aniversário de sua amiga Andrielle junto com Vitória, Flávia, Mirela, Gilmara, Merylin e Danrley. Foi o único do grupo que sobreviveu.

Sérgio e Nadir da Silva, pais de Guto, chegaram à boate em busca de notícias do filho por volta de quatro e meia da manhã. Só conseguiram localizar seu corpo após as nove horas.

Natalício Soares e Marise Dias, pais de Lucas: o filho único, de 20 anos, morreu dentro de um dos banheiros da Kiss, onde mais da metade dos corpos foi encontrada.

Lívia Oliveira (no corredor em que o filho Heitor aprendeu a andar): ao liberar seu corpo no centro desportivo Farrezão, encontrou o chefe, Sílvio Beuren, que também perdera o filho.

A enfermeira Liliane Duarte no Farrezão, onde os corpos ficaram estendidos, foi uma das profissionais que atuaram no dramático reconhecimento das vítimas por seus familiares.

Ligiane Righi da Silva, mãe de Andrielle, desde 2013 ajuda a manter a Tenda da Vigília numa praça de Santa Maria, como um ponto de encontro para pessoas afetadas pela tragédia.

Cida e César Neves perderam o filho adotivo, Augusto, no incêndio. Foram responsabilizados por sua morte na igreja que frequentam porque o deixaram ir a uma casa noturna.

Marta Beuren, mãe de Silvinho, em seu sítio: processada por calúnia e difamação pelo Ministério Público com mais três pais de vítimas após criticar a atuação do órgão no episódio.

Flávio José da Silva, pai de Andrielle, que idealizou o movimento Santa Maria do Luto à Luta.

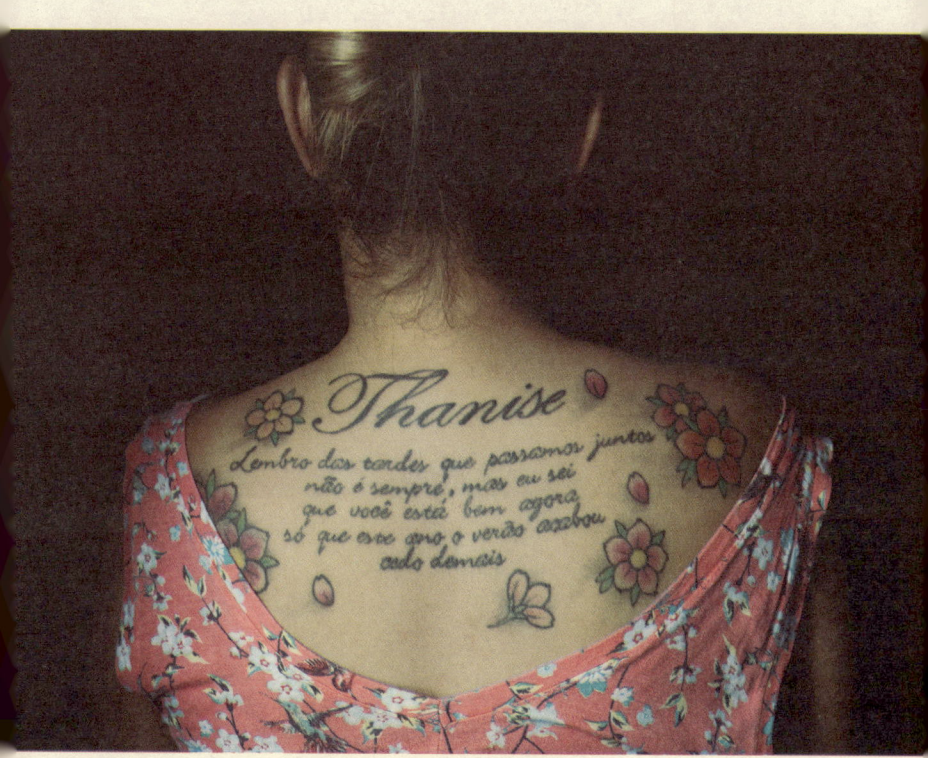

Carina Correa entrou em depressão com a perda de Thanise e buscou o Acolhe Saúde, criado pela Prefeitura de Santa Maria para ajudar as vítimas diretas e indiretas da tragédia.

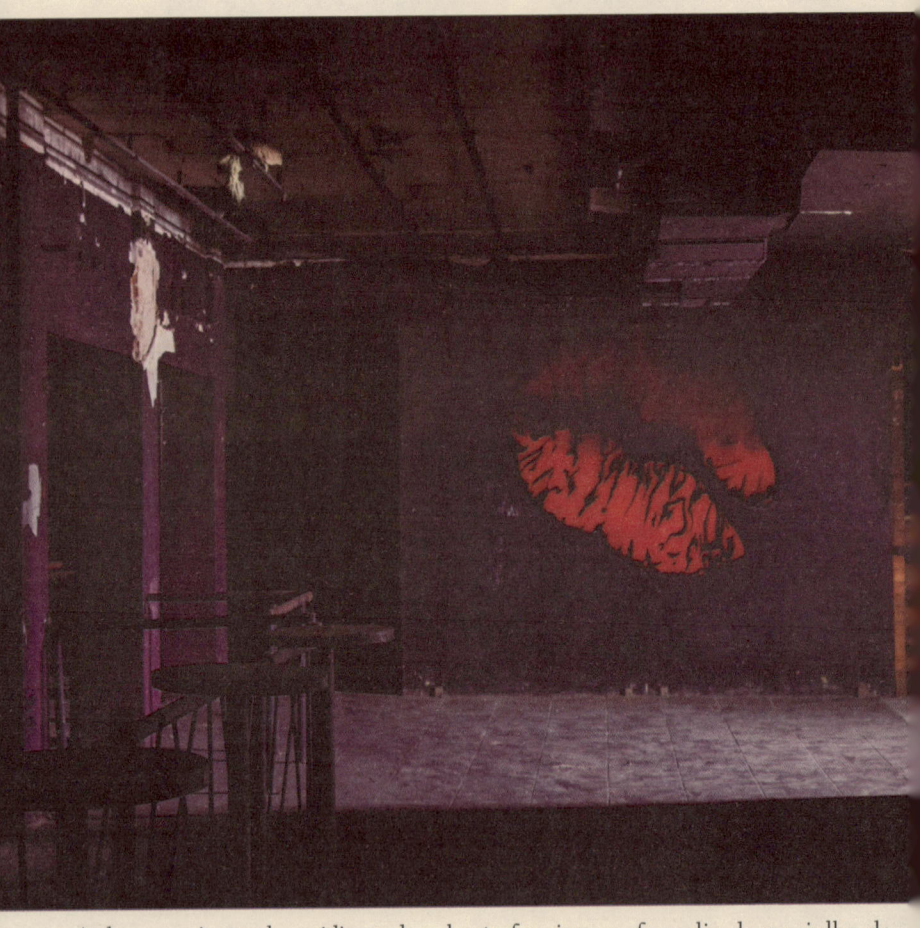

A desapropriação do prédio onde a boate funcionava, formalizada em julho de 2017 pela Prefeitura, abre caminho para a construção de um memorial na rua dos Andradas.

www.intrinseca.com.br

1ª edição	JANEIRO DE 2018
reimpressão	FEVEREIRO DE 2023
impressão	CROMOSETE
papel de miolo	POLÉN NATURAL 70G/M²
papel de capa	CARTÃO SUPREMO ALTA ALVURA 250G/M²
tipografia	ELECTRA